밤도 깊었는데 커피나 한잔하자

발 행 | 2023년 12월 6일
저 자 | 이영준
펴낸이 | 한건희
펴낸곳 | 주식회사 부크크
출판사등록 | 2014.07.15(제2014-16호)
주 소 | 서울특별시 금천구 가산디지털1로 119 SK트윈타워 A동 305호
전 화 | 1670-8316
이메일 | info@bookk.co.kr

ISBN | 979-11-410-5771-8

밤도 깊었는데 커피나 한잔하자

무너져 내린 적이 있나요?
다 내려놓고 싶고 아무것도 하기 싫을 때요.

아프고 답답하며, 조용합니다. 이 주위는 공허하죠. 행복했을 때
가 그리워지고 이럴 때 머릿속은 이상하리만큼 시끄럽습니다. 어
떤 말을 들어도 와닿지 않고 나 자신을 더 방어하기에 급급한 내
머릿속은, 일상의 작은 행복조차 길가의 돌멩이처럼 보이게 합니
다. 길을 잃은 '나' 는 어디든 붙잡고 울었습니다. 아파할 만큼 아
파하고 그 감정을 양껏 느꼈죠. 아픔은 무디어지지만 계속 남습니
다. 나아가, 기쁨은 추억으로 남고 아픔은 언젠간 미화되죠.

오래 남는 아픔 속에 걸러지는 게 있을까요? 충분히 아파한 후에
우리가 다시 성장하기 시작할 즈음 거름이 되는 게 있을 겁니다.
이 책에 많은 화자들은 각각의 이야기를 지니고 있습니다. 한편으
로는 모든 이야기의 의미들이 제 이야기와 같다는 생각이 많이 들
었죠. 어쩌면 다들 한번씩 느껴본 감정일 수도요. 한 순간도 쉬지
않고 달려온 당신은 이제 자기 자신에 집중할 때가 왔을 지도 모
릅니다. 잠깐이면 됩니다, 오래 걸리지는 않을 거예요.
답답한 마음이 누그러졌으면 합니다. 이 이야기에 들러, 잠시 내
마음을 생각하세요. 행복은 이 다음에 스스로 찾을 겁니다. 우선
은 내 마음을 나로 가득 채우는 게 먼저입니다.

차례

우리의 감정을 정리할 때

남들에게서 나를 배울 때

나에게서 나를 배울 때

우리의 감정을 정리할 때

길 한가운데서 길을 잃었어

$\vdots$

"안녕? 도로 한 가운데서 뭐 하고 있는 거야?"
조금 젖은 소매를 허우적대며 애기했다.
"아, 길을 잃었다고? 내가 도와줄게 이 근방은 잘 알거든, 어디로 가고 있었어?"
나는 잠시 침묵했다가 천천히 입을 열었다. 십 초 정도였나, 그 잠깐의 침묵은 마치 10시간 같았다.
"아...어디로 가는지는 잘 모르겠고? 흠..참 어려운 대답이네. 일단 이쪽으로 올래? 바로 옆에 내 텐트가 있어, 잠깐 이 근방에서 쉬고 있었거든. 난 여행하는 중이야, 이 근처에 아름다운 호수가 있다고 해서 하루에서 이틀? 정도 머무르려고. 사실 나도 오랜 여행에 조금 지쳤거든."
낡은 펜스를 넘어 풀이 조금 우거진 길을 따라갔다. 허벅지 중반 정도 되는 높이의 풀숲을 헤집으며 조금 걸었는데 그렇게 멀지 않은 거리에 마치 동화책에나 나올 법 한 아름다운 호수가 펼쳐져 있었다.
"저기 봐, 백조도 있어. 신기하지? 저걸 실제로 보기는 좀 힘드니까. 일단 여기 앉아있어."
그는 작은 밀리터리 무늬의 캠핑용 의자를 내어주었다. 슬며시 앉았는데 몸이 푹 들어가 순간 깜짝 놀랐지만 편안했다.
"하하 놀랐지? 의자가 생각보다 푹 들어가, 대신 내 몸에는 딱 맞아서 되게 안정감이 있더라고. 너도 딱 맞는 거 같은데? 다행이다. 아직 낮인데도 많이 흐리지? 여기 호수가 있어서 안개가 자주 끼거든. 꽤 멀리서부터 달려온 것 같네 옷이 많이 젖어있는 걸 보면."

고개를 숙여 잔뜩 젖어있는 내 몸을 봤다.

"그거 벗고 이걸로 갈아입어. 옆에 모닥불에 말리면 금방 마를 거야."

나는 마다하지 않고 따뜻해 보이는 기모 후드티와 트레이닝 바지를 갈아입고 나왔다. 으슬으슬했던 몸이 포근해진 기분이다.

"오 딱 맞는 걸 보니 나처럼 멋있는 체형인가 보네. 마침 잘 됐어."

그때, 그는 옆에 있는 커다란 백팩에서 조그마한 머그컵을 꺼내어 나에게 가져다
주었다.

"그 컵 꼭 쥐고 있어봐."

그의 말 대로 머그컵을 양 손으로 꼬옥 쥐고있었더니 컵의 색이 변하기 시작했다.

"어때 신기하지? 온도에 반응하는 염료가 코팅 되어있어서 색이 변하는 거야. 너 손은 아직 따뜻한가 보네."

컵의 색이 검정에서 천천히 밝아지더니 하얀색의 귀여운 북극곰이 나타났다.

"그래서 따뜻한 손의 형씨는 왜 여기서 길을 잃은 걸까?"

그 말을 듣고 가만히 눈을 감고 생각했다.

"지금까지 열심히는 달려온 것 같은데 그 동기가 뭐였을까 생각해 본 적이 있어?"

나는 천천히 고개를 좌우로 흔들었다.

"누군가의 기대에 부응 하고싶지는 않았어? 그게 타인일 수도 있지만 어쩌면 자기 자신에게."

그때 시원한 바람이 쉬익 불어 들어왔다.

"너가 너 스스로를 몰아세웠을 수도 있지. 한 편으로는 너가 꿈꾸는 너의 도착지가 있을 거 아니야. 모든 길은 나뉘어져 있어, 똑바로 된 고속도로가 아니잖아. 샛길로 빠지는 갈림길도 있고 달리다 보면 간간이 휴게소도 나오고. 가끔 길을 잘못 들어서 헤맬 때도

있었잖아. 그치?"

고개를 끄덕였다.

"다들 알고 있지만 쉽게 까먹더라고. 나도 물론이고."

나는 가만히 그 애기를 듣고만 있었다.

"아 참, 컵은 줬는데 마실 건 안 주고 떠들기만 했네. 나도 참 덜렁거리지."

그는 모닥불 위에 있던 자그마한 주전자 손잡이를 헝겊으로 집어 들어 내 컵에 따라주었다.

"그거 레몬차인데 향이 끝내줘. 뭐 그래봤자 레몬 국물이지만..?"

막 따른 차를 바로 입에 가져다 대었다.

"그거 엄청 뜨거울 텐데.."

순간 입 천장을 데일뻔했다.

"너 급해. 보니까 알겠네, 너 모든 게 조급해보여. 조금 여유를 가져보라니까? 한 김 식혀서 마셔봐, 그러면 그 향을 온전히 느낄 수 있어."

그의 말을 듣고 이번엔 조금 시간을 두며 식혀서 마셔봤다. 진한 향이 입 안을 감돌았다.

"어때? 향이 끝내주지? 그런데 말이야 이 곳에 나도 혼자 온 거는 아니었다?"

고개를 들어 그를 바라보았다.

"나도 이 곳에 멈추기 이전에 길을 헤맸었는데 그 옆에서 지금의 나처럼 길을 잃었냐고 물어보던 사람이 있었어. 그 할아버지와는 말이 좀 통해서 같이 여기까지 왔는데 오는 길에 그가 알려줬어, 이 근방에 끝내주는 호수가 있다는 걸. 나는 잠깐 여기서 그 호수를 보고 가기로 하고 그는 먼저 앞질러 가겠다고 했어. 인연이 있으면 또 어딘가에서 만나기로 했고. 나도 아쉬웠지만 그렇게 여기에 텐트를 치고 잠깐 도로로 나왔는데 당신이 있더라고? 인연이라는 게 참 신기하지 안 그래?"

내 어깨를 가볍게 툭 치면서 말 했다.

"오늘 마음 좀 비우자고."
그 때 회색 구름으로 가득했던 하늘이 아득히 닫혔다.

그냥 멈추어질 때가 있으면

숨을 고르는 게 좋습니다. 한가지 길을 바라보고 달려왔는데 그 한가운데에서 길을 잃은 처지는 끔찍하죠. 모든 게 막막합니다. 그런데 어쩌면 이때가 기회일 수도 있습니다. 연필로 길게 선을 그어보면 어떤가요? 분명 처음에는 쭉 반듯하게 그어지다가 중간중간 어긋나거나 선이 끊길 때가 있을 겁니다. 미술을 배운 사람도, 그렇지 않은 사람도 꼭 한번씩은 그러기 마련이죠. 자신은 분명 '나중에 다시 이어야지' 라는 마음으로, 이후로도 쭉 선을 긋고 있을 겁니다. 그 나중에가 지금은 아닐까요? 한번씩 어긋났던 내 모습을 돌아볼 기회일 수도 있습니다.

급한 마음이 앞서면

잘 가다가도 미끄러집니다. 세상에 반듯한 길이란 없습니다. 내가 생각한 대로 모든 일이 잘 풀리면 얼마나 좋을까요? 하지만 그렇지 않다는 걸 인정하고 받아들여야 합니다. 모든 게 조급해지면 이성적으로 판단하기가 어렵습니다. 얼른 이 일을 끝내고 싶지만 내가 하고싶은 대로 되지 않으니까요. 마음은 점점 조급해지고 나 자신을 닦달할 겁니다. 그건 자기혐오에 빠지기 쉬운 길 일 수도 있거든요. 때로는 기준을 낮출 필요도 있습니다. 높은 성과를 목표로 기준을 정하는 것 또한 좋지만, 그것에 그치지 않고 일정 기준을 지나치면 그건 그저 완벽주의에 가깝습니다. 누구든 충분한 시간을 가지고 목표를 이루는데, 모든 일에 너무 조급함을 가지면 나 자신을 매질하기에만 급급해지고 능률은 떨어질 겁니다. 결국 포기로 이어지기 십상이죠. 하지만 우린 유연하게 생각할 때도 필요합니다. 우리의 길은 마치 나무 같아서 이쪽 저쪽 많은 뿌리가 내릴 수 있습니다. 내 미래를 여러 방향으로 꿈꾸며 뿌리를 내려 보세요. 어느 쪽으로든 뻗어진다면 그게 길 아닐까요?

풍선을 조각하면 하늘을 날까?

∴

대학생인 벨은 요즘 들어 퀭한 모습으로 학교를 돌아다녔다.

"벨, 무슨 일 있어? 혹시 실습 때문인가? 요새 작업실에 유령이 돌아다닌다던데 그게 너였구나?"

화장실에서 마주친 같은 과 동기를 일주일 만에 만나게 되어 반가웠지만 그녀도 얼굴이 반쪽이 되어 남 말 할 처지는 아니었다.

"너도 똑같아."

"히히 그런가? 실습이 많이 힘들어?"

"그것도 그렇고 이래저래 걱정이 많아.."

"또 무슨 걱정?"

벨은 크게 들이쉰 한숨을 푹 내뱉고 말했다.

"이번 학기 끝나면 곧 졸업이잖아. 그리고 요즘 남자친구도 무뚝뚝해졌고 하고 있는 알바도 항상 실수만 하고 나는 참 잘 하는게 뭘까 계속 생각도 나고"

"그만. 넌 생각이 너무 많아."

그녀는 고개를 좌우로 막 흔들다가 이내 벨의 입을 손으로 막아버렸다.

"알아..근데 그 걱정이 많은 내가 너무 싫어."

"조금 여유 있게 생각 해 보는 건 어때?"

"나도 여유란 게 있었으면 좋겠어."

"일단 좀 걸을까?"

"아니 작업실로 가자, 그래도 하던 거는 끝내고 싶어."

뿌연 연기가 채 떨어지지 않은 벨의 작업대 위에는 무언가를 만들다 만 동그라미가 보였다.

"너는 작업 주제가 뭐야?"

벨에게 물었다.

"풍선이야. 누가 봐도 하늘로 붕 뜰 거 같은 풍선을 만들 거야."

그녀는 주변을 스윽 돌아보다가 그 동그라미를 가만히 응시하며 말했다.

"이 풍선, 완성하면 하늘을 날까?"

"너도 드디어 정신이 나갔구나?"

"아니아니, 붕 뜰 거 같은 풍선을 만들 거라며."

"하지만 뜨지는 않겠지."

"그만한 풍선을 조각하는데 얼마나 많은 시간과 노력이 필요해?"

벨은 대체 무슨 질문을 하고 있냐는 표정으로 통명하게 대합 했다.

"그야..많은 시간과 노력?"

"그만큼 많이 생각할 거 아냐."

벨은 고개를 끄덕였다.

"너는 너 자신이 피곤하게 산다고 생각해?"

"응 아무래도 그런 것 같아.."

"난 그렇게 생각하지 않아."

팔짱을 끼고 있던 벨은 갸우뚱 하며 쳐다봤다.

"조각도 결국 나 자신과 같은 거 아닐까? 많은 생각과 아이디서 속에서 자신의 진짜 생각을 골라내고 그 생각을 깎아가며 자신의 가치관을 조각해 낸다고 생각해."

벨은 시선을 조각하다 만 풍선으로 옮겼다.

"하물며 생김새가 이상하더라도 그렇게 만들어낸 조각이 점점 늘어나고, 이후의 작품들은 더욱 정교해지기 마련이잖아. 너가 그동안 연습했던 것들을 생각해 봐. 저번학기에 너가 만들었던 그 요상한 피클도 생각 해 보고."

"그건 피클이 아니라 도깨비 방망이였어.

"그랬나? 아무튼, 생각이 많다고 꼭 나쁜 건 아닌 거 같아. 그게 아무리 하찮을지라도."

"그럼 지금 이 괴로운 마음은 어떻게 해?"

"있는 그대로 받아들여야지. 당장에 너가 해결할 수 있는 문제들이 아니잖아. 회피만 한다고 답이 나오는 것도 아니고."

벨은 한번 더 크게 한숨을 내쉬었다.

"지금 답답한 것도, 그냥 온전히 받아들여봐. 답답할 대로 답답해 보고 화도 내고 울기도 해 보면...그냥 그렇게 살다 보면 나중에는 어떻게든 결말이 나 있겠지." 벨은 작업대 위에 있던 작은 끌과 망치를 집어 들었다.

"그럼 일단 내가 할 일을 할게."

"좋은 생각이야, 그래서 우리 밥은 언제 먹어? 곧 저녁먹을 시간인데."

"자기 전에 먹어도 안 늦어."

"뭐???"

꽤 오랜 시간 정교하게 망치를 두드리는 소리가 울려 퍼졌다. 벨은 그날도 어린 속을 파내어 하늘을 날 지도 모르는 작은 풍선을 완성시키고 있다.

"벨, 새벽 두 시가 되어가는데 잠은 안 잘거야?"

"잠은 죽어서 자는 거야."

이내 그녀는 벨의 머리채를 잡고 끌었다.

"아직 제출일이 삼 주나 남았는데 이게 뭐하는 짓이야."

"그래? 사흘 남은 거 아녔어?"

15 풍선을 조각하면 하늘을 날까?

걱정이 많다는 건 저주일까?

벨은 자신의 성격을 많이 답답해합니다. 아직 일어나지도 않은 일을 걱정하며 내 마음을 태우고 있으니까요. 다들 평온해 보이는데 나 혼자만 불안합니다. 큰 사고가 날 것 같기도 하고 나에게만 기적적으로 불행한 일이 일어날 지도 모르잖아요. 참 나 자신이 답답하게 산다고 생각합니다. 그런데 오히려 그게 나라는 걸 받아들이는 건 어떨까요? 단점을 장점으로 이용하는 겁니다. 걱정이 많기에, 불안한 게 많기에 오히려 무슨 일이 생겼을 때 대처할 수 있는 방안을 마련할 힘이 있을 겁니다. 내 머릿속에 그려진 해결책은 한편으로 마음을 편안하게 해 줍니다. 어디서는 예상치 못한 사고에 당황해 할 사람들이 있습니다. 미리 위험을 느끼고 불안해한 우리는, 사고가 있어났을 때 대처할 수 있는 판단력을 가졌기에 이 위험을 유연하게 대처합니다.

머릿속이 복잡해 매일매일이 피곤하면

그것조차 받아들이세요. 물론 간단하지만 간단하지는 않은 말입니다. 하지만 어쩌겠어요, 우린 그런 사람들인데. 점점 나 자신에 익숙해질 수록 피곤함은 걷어질 겁니다. 예로부터 인간은 무리에 속해 있는 사람들이 생존해 왔습니다. 걱정없이 태평하고, 겁 없이 행동하던 사람들은 이미 사회에서 추방되거나 야생동물에게 죽임을 당했거든요. 우리는 어차피 끊임없이 겁을 먹고 걱정해야 합니다. 만일 우리가 먼 옛날 수렵채집 사회의 인간이라고 합시다. 몇 명의 사람들과 함께 음식을 구하러 떠나던 중, 맹수가 나타나면 어떻게 행동할까요? 우리 손에는 커다란 횃불이 있지만 걱정과 겁이 없는 사람들은 이 상황에서 어떻게 대처해야 할지 몰라 즉흥

적인 판단을 합니다. 빠르게 도망가거나, 어쩌면 맞서 싸울 수도 있죠. 반대로 우리는 걱정이 많습니다. 맹수가 나타나면 어떡하지? 라는 걱정을 하며 이미 겁을 먹었다면 우리는 여러 방법을 시도할 수 있을겁니다. 예를 들어 햇불을 맹수의 앞쪽으로 비추면서 천천히 뒷걸음질을 칠 수 있겠죠. 인류가 하나의 집단을 이루고 그 속에서 음식과 주거지, 생각을 나누며 우리는 성장했고 살아남아 왔습니다. 그 안에서 끊임없이 걱정하고 고심했던 사람들이 바로 우리는 아닐까요? 생각하는 힘이 강하면 강할 수록 그 울타리 안에서 안전하게 살아왔습니다. 그로 인해 많은 것을 배우거든요. 머릿속이 복잡할 때가 있으면 여유로울 때가 있습니다. 절대 라는 건 없거든요. 그런 자기 자신을 이해하고 공감해 보세요. 단점 역시 절대적이라고 생각할 필요도 없습니다.

휴식을 취한다는 건?

물론 가장 좋은 것 중 하나인 말 그대로 움직이지 않고 쉬는 방법도 있겠지만 마음을 내려놓고 쉬는 것도 휴식이라고 할 수 있겠네요. 내가 편안함을 느끼던 것을 찾아보세요. 그게 음악일 수도 있고, 혹은 불이 다 꺼져 있는 아늑한 내 방, 여행 브이로그 등으로 떠나는 방구석 여행이 될 수도 있겠죠. 우선 가장 가까운 데서부터 찾아보는 것이 좋을 겁니다. 꼭 멀리 가지 않아도 주위에 있는 것들에서 금새 안정감을 느낄 수 있죠.

상담실의 괴물

．．．

"선생님..그를 죽여버리고 싶어요."
그녀는 손을 덜덜 떨면서 문을 열고 들어왔다. 푹 눌러쓴 챙 모자
는 어쩐지 붉은 얼룩이 조금 묻어 있었다."
"오 일단 여기 좀 앉으세요 에블린."
그녀는 한때, 잠시 우울증을 앓아 상담실을 몇 번 방문한 적이 있
었는데 한 달 만에 수척해진 얼굴로 찾아온 것이었다.
"대체 무슨 일이에요 에블린, 물이라도 마시고 얘기해요."
잔뜩 흥분해 있는 그녀에게 책상위의 차가운 물을 건넸다. 꽤나
커다란 컵인데도 에블린은 컵을 얼른 잡아들더니 그 많은 찬 물을
벌컥벌컥 들이켰다. 그러자 머리가 어지러워졌는지 잠시 이마에
손을 올리고 눈을 지긋이 감다 자리에 앉았다. 다시금 찬 물을 졸
졸 따라주고 나도 자리에 앉았다. 에블린은 잠시 생각을 정리하더
니 겨우 입을 다시 열었다.
"그가 제 강아지를 쐈어요.."
"네? 그게 무슨 말이에요? 천천히 설명 해 주세요."
에블린은 이내 깊은 한숨을 푹 쉬었다.
"두 달 정도 교제한 남자친구가 바람을 폈어요..꽤 오래전부터 였
고 헤어지기 직전에 그가 우리 집으로 찾아왔어요. 그를 보자마자
화가 머리 끝까지 올라 그에게 모든 상황을 따졌죠, 그런데 뭐라
했는지 알아요? 그는 모든 책임은 저에게 있다고 했어요. 본인에
게 소홀했다나 뭐라나...그 말을 듣고 그의 얼굴을 후려쳤어요."

다시금 에블린의 목소리와 함께 손이 벌벌 떨리기 시작했다.

"에블린, 절 봐요. 조금 천천히 얘기 해 봐요. 심호흡도 하면서요"

에블린은 침을 꿀꺽 삼키더니 한숨을 한번 내뱉고 다시 말을 이어 나갔다.

"그는 곧바로 저를 밀쳤고 서로의 말도 행동도 격해졌어요. 그때 제 강아지가 큰 소리를 듣고 저희 앞으로 오더라고요. 뭔가 우리 의 싸움을 말리려는 듯 자꾸 그의 다리를 붙잡았는데 그런 강아지 를 그는 발로 찼어요."

"제 정신이 아니었군요."

"아뇨, 그는 원래 그랬어요. 화가 나면 본인 주변의 모든 것에 화 풀이를 했어요. 전 사랑이면 다 바꿀 수 있다고 생각했고 그는 역 시 변하지 않았어요."

그때 밖에서 천둥이 쳤고 창밖이 잠깐 번쩍 하더니 상담실은 잠시 조용해졌다.

"오늘 비가 온다고 했었나요?"

에블린이 물었다.

"네, 저녁 즈음에 올 지도 모르겠네요."

"아무데도 신경 쓸 겨를이 없었네요.. 아무튼, 그 이후에도 강아 지는 계속 우리에게 매달렸어요. 그걸 본 그는 서랍에 있던 제 권 총을 꺼내 들더니 강아지를 향해 쐈어요...그 자리에서 저는 너무 놀라 더욱 큰 소리를 질렀죠. 비명 소리에 놀란 그는 총을 떨어뜨 렸고 저는 재빨리 그 총을 집어 들었어요."

에블린은 다시금 손을 벌벌 떨며 물컵을 찾았다.

"순간 저도 아무런 판단을 할 수가 없었어요..방아쇠를 당겼죠, 그의 다리를 맞췄어요. 어쩔 줄 몰라 하고 있었는데, 곧 이어 경찰 차의 사이렌 소리가 들리고 그는 도망갔어요."

에블린은 물 컵을 집어 들었다.

"아직도 그때를 생각하면 화가 나고 정신이 없어요."

덜덜 떨리는 손으로 물 컵에 비친 자신의 얼굴을 본 에블린은 더욱 떨리는 목소리로 말했다.

"여기.. 괴물이 있어요..."

"에블린."

"피가 잔뜩 묻어 있어요."

"에블린, 몇 방울이 튄 것뿐이에요."

에블린이 나를 처다봤고 그녀의 눈에선 눈물이 흐르고있었다.

"에블린, 당신은 괴물이 아니에요. 그때 당시의 최선이었어요."

"저..사람을 쐈잖아요."

"쏘지 않았으면 오히려 당했을 수도 있어요. 그는 이미 한 생명을 죽였잖아요. 에블린, 당신은 최선을 다 한 거예요. 그때의 선택에 너무 잡혀있지 말아요."

"저가 큰 벌을 받지 않을까요..?"

"경찰이 왔을 때는 어땠어요?" "짧은 조사가 있었고 그 이후에는 잘 모르겠어요."

"정황상 잘 해결될 거예요. 지나간 선택에 큰 후회를 갖지 말아요. 그때는 그때 그 상황에서의 에블린의 최선이었어요. 본인의 최선에 자책하지 말아요. 오히려 수고했다고 다독여주세요."

"이제 어떻게 해야 할까요.."

"앞으로 다시 나아갈 준비를 하세요. 자신에게 잘못된 선택을 했다면 다시 마음을 가다듬고 바로잡아요, 앞으로의 선택을 응원할 게요."

천둥 소리가 점점 잦아졌다.

"당연히 우산은 안 챙겨왔겠죠? 입구에 비치 해 두었으니 아무거나 가지고 가세요."

"네..고마워요. 일단은 가서 모자부터 세탁해야겠네요."

20 상담실의 괴물

지나간 선택에 큰 미련을 두지는 말자

가끔 내가 과거에 저질렀던 끝내주는 흑역사나 선택들에 잠에 쉽게 들지 못 할 때가 있습니다. 그러한 생각들이 끊임없이 나를 괴롭힌다면 이제는 그 선택들을 놓아줄 때입니다. 우리가 후회하는 것들은 결국엔 이미 벌어진 일 이며, 내가 더 이상 손댈 수 없고 돌이킬 수 없는 선택들입니다. 그 때의 내가 참 한심하고 답답하게 느껴진다면 나는 나 자신을 잘 모르는 게 아닐까요? 그때의 나역시 결국엔 나 자신일 텐데요. 분명 그때의 상황, 배경, 심리 등모든 게 어우러진 나의 판단일 것인데 왜 지금의 나는 그때의 나를 이해하지 못한 걸까요? 분명 그 시절의 나는 그 상황속에서의 최선의 판단을 했을 것입니다. 지금 생각해도 이렇게 답답한데 그당시의 나는 어땠을까요? 다들 한번씩은, 흐려진 판단력에 실수를 저질러 봤을 겁니다. 후에 적잖이 후회할 경험이었을 터입니다. 마냥 과거의 나를 비난하지만 말고 안아줄 수 있다면 얼마나 좋을까요. 그 때의 나에게 수고했다는 말을 건네 보는 것도 좋은 성장의 마음가짐일 겁니다. 당시의 선택에 머물러 있지 말았으면 좋겠어요. 어렸던 자신의 최선을 욕하지 않았으면 좋겠습니다.

그럼 남겨진 아픔은 어떻게 안고 가야 할까요?

뚫고 올라올 씨앗이 되어있을 것입니다. 그 아픔을 양분삼아 더욱 성장할 미래가 그려지지 않을까요? 분명 그 과거를 생각하며 배운점이 있을 것입니다. 배운 것을 토대로 앞으로 나아갑시다. 어렸던 과거의 나는 이해해 주고 수고했단 말 한 마디로 넘어가 줍시다. 바꿀 수 있는 과거가 있으면 이제서라도 바꾸면 되죠. 그 때의 내가 못 했던 일을 지금의 내가 해줄 수 있다는 게 얼마나 기쁜 일일까요. 배운만큼 나아가고 할 수 있을 만큼 도전하세요. 과거의 내가 지금의 나를 믿고 의지할 수 있을 만큼.

꼬리를 자르지 않고 도망가는 도마뱀

:::

"윌리엄! 혼자 또 여기서 뭐 하는 거야?"
어느샌가 옆에 나타난 벨리가 물었다. 윌리엄에겐 항상 혼자 있고 싶을 때 방해하는 이상한 누나다.
"여기는 또 어떻게 찾았어?"
"어떻게 찾기는! 너 맨날 무슨 일이 생겨서 도망가면 이것저것 떨어뜨리면서 가잖아. 이거 받아."
가방에 달고 다녔던 햄스터 인형이었다.
"이거 보고 이 근처에 있겠거니 하고 찾아다녔지."
자랑스럽다는 듯이 히죽대면서 바라보는 벨리는 항상 뭐가 그리 즐거운지 입꼬리가 내려가는 모습을 본 적이 없다.
"나 이거 잘 걸고 다녔는데 어느새 떨어진 거지...?"
"참 신기하게도 너는 꼭 도망갈 때 마다 뭔가를 떨어뜨려, 그래서 다들 도마뱀이라고 부르잖아 바보야. 그래서 오늘은 왜 도망간건데? 친구들이랑 잘 놀고 있었잖아."
"그게...친구들이랑 놀면 자꾸 나만 의견이 다르단 말이야..혼자만 계속 술래가 될 때도 많고..."
벨리는 팔짱을 끼며 잠시 생각하더니 말했다.
"그럼 안 하고싶다고 하면 되잖아?"
"근데 그러면 애들이랑 싸우게 된단 말이야..그러다 보면 날 싫어할까봐..."

"너 진짜 바보구나?"

"뭐?"

"말도 안 하고 계속 도망만 치니까 언젠간 다들 널 싫어할 거야."

윌리엄에게는 꽤나 상처받을만한 말이었다. 그 말을 듣고 울먹이는 윌리엄을 보고 벨리가 말했다.

"너 어제는 왜 공원 구석에 혼자 앉아있었던 거야?"

윌리엄은 그새 눈시울이 붉어졌고 조금씩 훌쩍거리며 말을 이어갔다.

"엄마한테..훌쩍..학원 그만 다니고 쉬고 싶다고..훌쩍..해서 혼났어..그래서 도망 나왔어.."

"근데 왜 다 포기하는 거야? 대화를 더 해 볼생각은 안 하는 거야?"

"해 봤어..훌쩍."

"그만 울고."

"응..대화 해 봤는데..또 말싸움 하다 지칠까 봐 포기했어."

"흠.."

"정말, 외울건 너무 많고 수업도 못 따라가겠고 이러다 공부만 하다가 죽을 것 같아.."

벨리는 한숨을 푹 쉬었다.

"너 음악은? 음악레슨 받고 싶어 했잖아. 그냥 취미로만 혼자 하고 있었어?"

"응 맞아."

"그럼 음악레슨을 받고 싶어서 그만두겠다 했던 게 아니네?" 윌리엄은 조용히 끄덕거렸다.

"음악을 계속 하고는 싶어?" 윌리엄은 다시 끄덕였다.

"대답."

"응.."

"학원을 그만두면 뭘 하려고 했는데?"

윌리엄은 아무 말도 하지 않고 고개만 숙인 채 가만히 있었다.

"그냥 힘들어서 내려놓고 싶었던 거네, 잘 들어봐 윌리엄."

"응."

"너가 친구들과도 많이 부딪히고, 공부도 열심히 하느라 지친 건 알겠어. 충분히 알겠는데 계속 이렇게 살 거야? 꼭 하고싶은 것만 하고 살 수도 없어."

"엄마가 포기하는 게 나쁜 것 만은 아니라고 했어."

"너가 하는 건 포기가 아니야."

"응?"

"윌리엄, 너가 앞으로 하고싶은 게 있을 거 아냐. 너의 미래를 변화시킬 수 있는 포기는 그건 널 위한 선택인 거고, 그냥 마냥 힘들어서 내려놓고 싶은 거는 회피야."

윌리엄은 가만히 벨리를 바라보았다.

"그 회피는 너를 위한 선택이 아니야 윌리엄. 지금의 불안에게 주는 달콤한 선물인 거지. 너가 바라는 게 있으면 끝까지 내세워봐, 그게 너를 변화시킬지 몰라."

"알다가도 잘 모르겠어.."

"카멜레온처럼 모든 도마뱀이 꼬리를 자르지는 않아. 도망가는 것도 좋고 포기하는 것도 좋은데, 너한테 지금 필요한 거는 끝까지 해 보는 거야."

"응..알겠어."

언제 울었냐는 듯이 눈물을 다 닦은 윌리엄은, 조금은 자신이 붙은 듯한 표정을 보였다.

"친구들 하고도 싸우고 엄마 하고도 싸우자."

"뭐?"

"장난이야 바보야. 지금은 너 자신을 좀 토닥여줘, 잘 하고 있다고."

벨리는 생긋 웃으며 얘기했다.

"꼬리나 다시 붙이자. 이건 어떻게 끼우는 거야?"

최선을 다 한다는 건 뭘까?

내가 할 수 있을 만큼 내질렀을 때, 그 결과를 얻었을 때 우리는 성취감을 느끼죠. 그런데 이따금씩 두려움이 몰려옵니다. 내가 하고 있는 것이 과연 최선일까? 나는 나의 목표를 향해 잘 나아가고 있는 걸까? 라는 질문이 쌓이면 쌓일 수록 우리는 두려워합니다. 이럴 때 중요한 건, 원하는 것을 분명히 하는 것입니다. 처음으로 돌아가 보는 거죠. 내가 이 목표에 도전을 결심했을 때, 나는 어떤 생각을 했는지. 어떤 마음을 가졌었는지 멈춰 서서 고민할 시간이 필요할 겁니다. 앞만 보고 달려가다 보면 분명 처음 구상했을 때의 과정과 달라지는 부분이 있을 테고, 그 부분을 다시금 되짚어 보는 걸로 부족한 부분을 캐치할 수 있으며, 잊고있었던 자신의 동기가 다시금 떠오를 겁니다.

다 그만두고 싶을 때엔

내가 왜 그런 마음을 가지기 시작했는지 생각 해 보아야 합니다. 어느 시점에서 지치기 시작했나요? 어떤 부분이 날 무너지게 했나요? 포기란 인생에서 떼어낼 수 없는, 내가 나일 때 가질 수 있는 달콤한 권리입니다. 역시 선택의 한 종류이죠, 새로운 시작으로 나아갈 수 있는 기회 이기도 합니다. 큰 결심을 하며 선택을 담은 포기는 날 더 강하게 만들어 줍니다. 그런데 그 무게를 진지하게 생각 해 본 적이 있나요? 때때로 우리는 모든 걸 내려놓고 싶어질 때 쉽게 포기를 선택합니다. 그럼 그 선택은 날 크게 성장시켜줄까요? 대답은 아니오입니다.

"왜죠? 날 더 힘들게 만들 무언가를 포기했는데요?"

그것은 회피적 심리를 담은 포기입니다. 우리는 어떠한 상황이든 당당히 마주할 용기가 필요합니다. 지칠 대로 지친 본인을 당당히 마주하고 안아줄 용기 또한 필요하죠. 이럴 때엔 묵묵히 그냥 나아가는 것도 방법입니다. 도망가고 싶은 마음을 참아내는 것 또한 자신을 깊이 성장시킵니다. 선택이 가져온 기회는 우리에게 책임감을 요구하죠. 자기 자신을 관리하는 것 또한 책임감이 필요합니다. 소설가 조앤 디디온은 '자신의 삶에 대한 책임을 기꺼이 받아들이려는 의지가 자존감이 싹트는 원천이다' 라는 말을 남겼죠. 본인의 선택에 대해 제대로 이해하고 받아들일 수 있는 책임감을 가지고 있다면 분명 그 선택은 자기 자신이 될 것입니다.

까마귀와 사과

:::

그 달빛을 본 신부는 아슬히 먼 하늘에 손을 내밀었다. '툭.' 어디
선가 사과가 떨어져 손가락을 스쳤다. 까맣게 깊은 밤이라 색깔을
구분할 수 없지만 그건 틀림없는 사과였다. 아무런 의심없이 그걸
한 입 베어 물고는 하늘을 바라봤다. 아무것도 없지만 그곳에 깊
은 밤 만은 있었고, 이내 눈 앞이 하얘졌다. 하얀 밤이었다.
-8월5일-
"신부님, 밤이 깊었습니다. 이만 우리도 도망가야 합니다."
"달빛이 일렁입니다. 곧 깨질 빛일까요."
"신부님...동생분은 먼저 배를 구하러 떠났습니다. 더이상 혁명군
의 환자들만 가득한 이곳에 있을 이유는 없습니다."
마리에이크 대성당에 큰 불길이 일었다. 혁명군의 포위망을 좁혀
오며 황금의 땅 마르크 동부까지 직진한 정부군은 곧, 눈에 보이
는 모든 성당에 불을 질렀다. 여기저기서 보랏빛의 까마귀 무리가
날아올랐고 서 너 마리가 불길에 타올랐다.
"비올라, 세상이 그렇게 넓다는데 더이상 여기에만 머무를 수는
없습니다. 당신은 이제 어린 새가 아니에요."
그날 비올라의 철창 문을 열고 끌어안아, 신부는 옥상으로 올라왔
다.
"이 곳에 자유가 있었습니다. 당신 또한 그렇습니다."
그렇게 잠시 푸드덕 대던 비올라는 이내 높은 하늘로 날아올랐다.
검은 연기보다 더욱 높이.

-7월 20일-

"형님, 그런 허약한 까마귀 한 마리가 뭐 그리 중요하다고 이렇게 애지중지 키웁니까. 이런 쓸모없는 건 당장 갖다 버리십시오. 사과를 물어오는 것 말고 할 줄 아는 게 뭐가 있습니까?"

신부가 키우는 비올라는 백변증이 발현된 백색 까마귀였다. 몸이 약한 탓에 그를 가엽게 본 신부는 그에게 '비올라' 라는 이름을 붙여주고 정성으로 키우기 시작했다.

"동생아, 세상에 쓸모없는 생명이란 없단다. 오늘은 너가 할 차례구나, 어서 먹이나 주고 오렴."

"치, 독사과라도 물어오라지."

매번 동생과의 다툼의 시작은 비올라였다. 가장 만만한 약점이라고 생각했는지 그날도 역시 먹이를 철창 앞 창문으로 던져버리고 비올라를 한껏 노려본 채 돌아왔다.

-8월 4일 새벽-

"배는 이미 구한 겁니까?"

동생이 물었다.

"구하지 못했다."

"그럼 그 역할은 저 밖에 없지 않습니까. 형님 대체 도망갈 생각은 있는 겁니까?"

"저 사람들을 버리고 우리만 도망가자 라는 말이 입에서 나오지 않는구나..."

"참 답답하게 사십니다."

그때 저 멀리서부터 포격 소리가 들려왔고, 기분 나쁜 화약 냄새가 희미하게 코 끝을 스치기 시작했다.

"이제 알아서 하십시오. 이번이 마지막 기회입니다."

쿵 하는 울림에 동생은 잠깐 휘청하더니 성당 밖으로 내려갔다. 동생은 항상 밤에도 빛이 나는 회백색 목걸이를 달고 다니는데, 휘청할 때였는지 그 목걸이는 바닥에 떨어져 있었고 신부는 그걸 주워 한참을 쳐다보더니 자신의 목에 걸었다. 그때 다급하게 뛰어

올라오는 발소리가 들렸다.

"신부님! 그들이 이 근방까지 다가왔습니다. 우리도 슬슬 몸을 피해야 합니다...그런데 아까 동생분은 먼저 급하게 나가시던데 또 다툼이 있었습니까?"

신부는 그 질문에는 대답하지 않았다.

"내일 모레 부상자들을 데리고 숲으로 숨으십시오. 동생이 데리러 갈 겁니다."

-8월6일 새벽-

그 순간은 포격소리와 불길이 조금 잦아들었다.

"신부님, 움직일 수 있는 부상자들은 다 옮겼습니다. 우리도 이만 가시지요."

"저는 동부 끝자락으로 가겠습니다. 먼저 몸을 피하시지요."

"결국 그곳도 위험할 것입니다."

"어찌어찌 살아야지요. 그곳에서 셀렌 신부님을 찾을 겁니다."

"예..부디 몸 건강하시길 기도하겠습니다."

한 시간이 좀 지난 후, 신부는 성당 문을 열고 동쪽으로 걷기 시작했다. 걷다 보니 조금 밝아진 달빛이 눈에 보였다.

나의 마음에 여유가 없을 땐?

이 밖엔 신경쓸 게 너무 많고, 안타깝지만 우리에겐 여유가 없습니다. 대체 어떤 걸 먼저 해결해야 할까요? 우선은 멈춰 서서 인정하는 시간이 필요할 것 같네요. 보통 성미가 급하거나 여유가 없는 사람들은 인생을 숙제처럼 살더라고요. 그러다 보면, 그게 무엇이든 자신의 맘에 조금이라도 들지 않으면 쉽게 자기 자신을 탓

하거나 비난하게 됩니다. 얼핏 보기에 자신을 북돋아주는데 도움이 되는 것처럼 보이지만 사실 그것은 자기 비난일 뿐입니다. 우선은 나 자신을 알아보는 눈이 필요합니다. 내가 어떤 사람인지 성찰하는 게 우선인 거죠.

나를 바꿀 수 있을까?

사실 본인의 콤플렉스나 미숙한점은 쉽게 바뀌지 않습니다. 하지만 그것을 바라보는 관점은 바꿀 수 있죠. 내가 어떤 모습이든 인정하고 받아들일 수 있다면, 그러한 자세는 충분한 자기발전의 밑거름이 됩니다. 당장에 눈앞에 보이는 문제에 집중하기보다 큰 틀에 집중하게 되는 것이니까요. 더욱 넓은 시야를 받아들일 수 있죠. 경직된 사람은 눈앞의 것만 신경 쓰지만, 여유로운 사람의 눈은 훨씬 더 넓은 걸 받아들입니다, 마치 운전과 같습니다. 처음 운전을 배울 때, 바로 앞에 있는 길이나 신호만 신경 쓰며 '사고를 내면 안된다' 라는 강박이 나를 불안하게 하고, 여유를 앗아갑니다. 이젠 조금 다르게 운전해 볼까요? 내 차의 주변 상황을 거울로 확인하거나 더 넓게 상황을 체크합니다. 저 앞을 내다보며 내가 가고 있는 길을 제대로 파악해 보면 점점 여유가 생기게 됩니다. 당장의 문제에 쫓길 필요 없이 근본적으로 나는 어떤 사람이고, 삶의 어떤 부분에서 행복을 느끼는지, 안정을 느끼는지 확실하게 알고 인정하는 자세가 우선 필요합니다.

벽돌사이 꼬마병정

:
:

"엄마! 나 이 인형 사고 싶어!"
장난감 코너 앞에 멈춰선 선우가 구석에 있던 조그만 장남감을 가리키며 말했다.
"무슨 인형인데?"
허리를 숙여 본 그 인형은 작은 장난감 병정이었다.
"장난감 병정?"
그 인형은 오랫동안 그 자리에 진열되어 있었는지 포장지 위에 옅은 먼지가 얹어져 있었다.
"이게 마음에 드니?"
"응!"
그게 한국에서의 마지막 여유였다. 영국으로의 이주는 금세 이루어졌고, 그곳 할머니의 집이 학교와 가까운 것 또한 운이 좋았다. 그렇게 몇 년이 지났나, 붉은 낙엽이 떨어졌고 그 위에 어린 핏방울이 잎맥을 따라 흘렀다.
"난...이렇게 살고 싶지 않아."
울먹이며 말하는 선우에게 소피아는 들고 있던 가방을 힘껏 던졌다. '퍽' 하는 소리와 함께 그가 들고 있던 무딘 칼이 바닥에 떨어졌다. 동시에 그 자리에 털썩 주저 앉은 선우는 몸에 힘이 풀렸는지 팔은 덜덜 떨리고 있었고 아무 말도 하지 않았다. 그 어둡고 차가운 바닥엔 더 어둡게 식어버린 소년만이 앉아있었다.
"살..이유가 없어."

"죽을 이유 또한 없어."

소피아는 그 붉어진 목에 자신의 머플러를 감아주었고, 같이 떨어진 선우의 가방에 소피아는 꼬마병정 인형을 넣어주었다.

"강당 건물 벽돌 사이에 끼어 있었어."

소피아는 선우의 옆에 앉았다. 가만히 그 자리에서 그렇게 꽤 오랜 시간이 지났다. 밤은 더 깊어 졌고, 그때 긴 정적을 깨며 선우가 먼저 입을 열었다.

"이 우울감이 너무 싫어..."

"모두가 널 싫어하는 건 아니야."

"그게 문제가 아니야."

여전히 차가운 가을바람이 불어왔고 선우의 팔에 있는 커다란 멍자국이 눈에 들어왔다.

"이곳을 떠나고 싶어?"

소피아가 돌아 앉으며 물었다.

"모르겠어, 내가 왜 이렇게 아픈지... 그냥.. 마치 마음이 죽은 것 같아."

선우는 아직도 흥분이 채 가시지 않았는지 숨을 쉬는 게 괴로워 보였다.

"숨을 한번 들이켜봐, 크게 한번. 그리고 내쉬어, 천천히."

선우는 숨을 크게 들이쉬더니 이내 콜록거렸다.

"괜찮아? 물 줄까?"

"아냐, 콜록..괜찮아...헨리는?"

"경찰이 데려갔어. 나머지 애들은 도망갔는데 곧 잡히겠지, 너무 신경쓰지 마."

"..."

"적어도..자책은 하지 않았으면 좋겠어."

"내 밑바닥을 봤어."

"그 밑바닥을 보면서 너의 깊은 내면을 마주했잖아. 그 경험을 나침반 삼아서 길을 찾아가면 돼."

"말처럼 쉽지 않을 거야."

"당연하지. 하지만 넌 결국 찾아낼 거야, 내 친구잖아?"

소피아는 옅은 미소를 지으며 선우를 바라봤다.

"저 인형, 너가 거기 끼워 둔거지. 마치 헨리가 한 짓 인 것처럼."

선우는 숙였던 고개를 천천히 들며 말했다.

"맞아...어떻게 알았어?"

"그걸 무의식 중에 마치 너 자신이라고 생각한 거 아니야? 너 자신이 너무 밉고 불쌍해서, 그곳에 버려 두고 왔지. 너가 가장 아끼던 인형이잖아."

애기를 듣던 선우는 다시 고개를 떨구며 말했다.

"내가 불쌍해 보였어."

"아무래도.."

"작은 일에도 헤프게 웃었었는데, 언제부턴가 작은 일에도 쉽게 상처받고 있는 내가 너무 불쌍했어."

"너가 보듬어줄 수 있어. 남의 아픔을 이해할 수 있는 사람은 자기 자신의 아픔도 충분히 이해할 수 있는 사람이라고 생각해."

그때 선우의 눈에서 애절함이 흘렀다. 조금씩 흐느끼더니 몸을 웅크렸다.

"속이 찢어져라 울어도 괜찮아, 여기 기대봐."

소피아는 가볍게 선우를 안았고 선우에게 더이상 찬바람은 불지 않았다."

우울을 다스리는 법

우울 은 정말 복합적인 감정입니다. 무엇 때문이라고 콕 집어서 애기할 수 없는 여러 감정의 집합이죠. 원인은 내부에 있을 수도 외부에 있을 수도 있습니다. 그럼 이 감정을 어떻게 통제해야 할까요? 사실 우리가 마음껏 통제할 수는 없습니다. 다만, 이것을 가까이 마주하고 이해할 수는 있습니다. 이 감정은 항상 답답함과 걱정, 공상을 동반합니다. 나아가, 공상은 망상을 동반하죠. 머릿속에서 자꾸 부정적인 장면을 그려낼 겁니다. 우울감은 다양한 이유에서 찾아오는데, 그 시기와 상처 또한 다양하죠. 괴로움엔 경중이 없기에 그 깊이를 가늠하기란 어렵습니다. 하지만 이 감정을 다스리고 싶다면 가장 먼저 해야 하는 것은 그 아픔을 마주하는 겁니다. 결국 근본적으로 해결해야 할 문제는 마음 속에 있기 때문이죠. 하지만 당연히 어려운 일일 거예요. 트라우마를 마주한다는 것 자체는 아픈 상처를 후벼 파는 것과 비슷한, 혹은 더 한 고통일 테니까요. 대부분의 사람이 자신의 아픔과 깊은 내면을 마주하는 걸 두려워합니다. 점점 그 순간들을 회피하기 시작하면서 증상은 악화되죠. 하지만 꾸준히 그 아픔을 마주해야 합니다. 내가 내 감정을 객관적으로 보려고 노력하다 보면, 하루하루 나 자신을 이해하는 시간이 찾아옵니다.

우울에 취할 수 있나?

우울감에도 충분히 중독될 수 있다고 생각합니다. 우울은 여러 감정이 뒤섞여 있죠. 공허함,외로움,슬픔,분노,답답함 등등 여러 감정이 한꺼번에 밀려오기에 곧 그 파도에 집어삼켜져, 본인의 상태 또한 또렷하게 확인하기 어렵습니다. 개인적으로 그러한 감정들에 휩쓸리다 보면 어떨 때는 그 감정을 즐기게 될 때도 있더군요. 마음이 계속 가라앉으면, 그 속에 나의 어둡고 새로운 모습을 신기하게 보고, 점점 깊어지는 나 자신을 불쌍해하며 그 순간을 제3자의 입장에서 바라볼 때도 있습니다. 자기연민을 느끼는 거죠.

나아가, 남들의 우울감을 내 멋대로 판단할 때도 생길 수 있습니다. 불행의 우월감에 빠지는거죠. 누구나 각자의 무게가 있고 받아들일 수 있는 그릇 또한 각기 다른 모양이란 걸 알 필요가 있습니다. 깊이 취할 수 있습니다. 하지만 결국 우린 그 속에서 다시위로 헤엄칠 준비를 해야 합니다.

이 감정이 익숙해지면

그렇게 좋은 상황은 아닙니다. 우리는 늘 익숙함 속에서 편안함을 느끼기 때문이죠. 자신의 깊은 내면을 마주하고 이해하는 과정은 중요한 시간이지만, 분명 그 시간이 길어질 수록 나 역시지쳐갑니다. 스스로 감당하기 힘들어질 정도로 내려앉으면, 다시올라가는 과정에서 지쳐 다시 익숙한 곳으로 내려가겠지요. 익숙함을 벗어나 새로운 나를 찾아 올라가야 합니다. 기분전환을할 수 있는 것들을 찾고 내가 좋아하던 것들을 되짚어보는 것도좋은 시도가 될 겁니다. 우리의 삶은 우리의 행동과 습관으로이루어져 있습니다. 하나하나의 작은 습관과 시도가 오늘보다는더 나은 하루를 만들 겁니다. 나 자신은 내가 가장 잘 알기에나만의 시간을 갖고 나만의 방법을 계속해서 찾아내다 보면 분명그 노력들은 더욱 나아진 자신을 비춰줍니다.

남들에게서 나를 배울 때

대머리 선인장도 잠은 자나?

⋮

작은 선인장이 어디선가 불어온 거센 바람에 날려, 빌의 조그마한 발 앞까지 데굴데굴 굴러왔다. 베니르 사막 어딘가에 사는 작은 도마뱀인 빌은 항상 재밌는 이야깃거리를 찾아다녔다.

"어, 선인장이 어떻게 여기까지 굴러오지? 근데 이 선인장...가시가 없잖아??"

빌은 그 조그만 선인장을 집어 들었다. 더 조그만 앞발로 선인장을 이리저리 굴려보더니 무언가 재밌는 생각이 났는지 집까지 가지고 가기로 했다.

"이거야말로 재밌는 이야깃거리인걸?"

빌은 한시라도 아까운 듯 선인장을 들고 친구들이 있는 습기동굴 앞까지 발이 안 보이도록 달려갔다.

"빌! 또 무슨 일이길래 그렇게 꼬리 떼고 온 듯 달려온 거야?"

동굴 입구에서 커다란 도마뱀 카렌이 물었다.

"이것 봐! 대머리 선인장이야!"

"대머리 선인장? 대체 그딴 건 어디서 주워오는 거야?"

"바람에 굴러왔어 근데 너무 신기하고 불쌍하지 않아? 가시가 없어!"

"어디서 구르다 떨어졌겠지."

카렌은 더러운 걸 봤다는 듯이 미간을 찌푸리며 손사래를 쳤다.

"그런 건 그냥 갔다 버리고 얼른 들어와서 개미나 세고 있어."

빌은 그 말을 듣고 축 처진 몸을 이끌고 동굴 안으로 들어갔다. 물론 선인장은 품에 꼭 안고 있었다. 항상 모두에게 사랑받고 싶어 하는 빌은 항상 불만이 많은 카렌을 만족시키고 싶었지만 역시 반응은 평소와 같았다.

"빌! 여기서 뭐 하고 있는 거야?"

어디서 나타났는지 까만 도마뱀 샐리가 다가와서 물었다.

"카렌이 식량 세는 걸 도우라고 했어."

"그랬구나, 근데 그 동그란 건 뭐야?"

"아, 이건 대머리 선인장이야! 신기하지? 갑자기 굴러왔어."

"우와 이런 건 처음 봐. 근데 얘는 가시도 없는데 맘 편히 잠이나 잘 수 있을까?"

"글쎄..그래서 내가 보살필 거야! 다들 보여주고 싶었는데 동굴에는 아무도 없었어."

다들 오늘은 바닐동굴에서 놀다 오는 것 같던데 빌은 못 들었어?"

"헉 아무도 말 해주지 않았어. 그런데 너는 왜 안 간 거야?"

"역시...나는 딱히 멀리 가고 싶지 않아서 남았지. 그럼 오늘은 빌이랑 놀아야겠네."

"샐리는 정말 여기 있어도 괜찮은 거야? 다들 널 찾고 있을 거야."

"괜찮아. 빌, 왜 항상 남들을 신경 쓰는 거야?"

샐리는 그 조그만 팔을 흔들며 물어봤다.

"나는 다른 도마뱀과는 달라, 많이 작고 잘 하는 게 없어. 이대로만 살면 곧 무리에서 떨어져 나갈 거야."

"절대 그렇지 않아 빌."

빌은 그 조그만 눈을 크게 떴다. "다른 거잖아, 모두가 널 좋아할 수는 없어. 너도 너만의 특별한 점이 있고 나는 그게 좋아. 근데 그걸 카렌은 싫어할 수도 있지."

"왜 싫어할까?"

"그건 생각하지 마, 카렌이 언제 너한테 살갑게 군 적이 있어?"

"아니 없지."

"세상에 많은 도마뱀 중에 그 중 몇 마리의 도마뱀은 널 싫어해."

"왜?"

"그건 아무도 몰라."

"알겠어.."

"그 중 몇 마리는 널 좋아해."

"너처럼?"

빌은 작은 두 손을 파닥거리며 말했다.

"맞아, 그리고 나머지는 너가 좋아질 수도 있고 아닐 수도 있어, 그런데 꼭 널 싫어하는 몇 마리에만 너가 계속 집중할 필요가 있을까?"

"다들 날 좋아하면 좋잖아."

샐리는 빌의 머리를 쓰다듬으며 말했다.

"세상에 빌, 그들은 너가 그들에게 잘 보이려고 하는 노력속에서도 널 싫어할 이유를 찾아낼 거야. 왜? 널 싫어하니까. 그냥 그런 도마뱀이니까. 너를 막 대해도 된다고 생각할 거야."

빌은 손에 있는 작은 선인장을 쳐다봤다.

"그 선인장도 무리에서는 달랐을 거야. 가시가 없으니까. 그런데 넌 그런 선인장의 모습을 좋아하잖아."

"맞아. 매력 있잖아."

"바로 그거야, 나도 날 좋아하는 사람 챙기기에도 바쁜 걸."

"그럼 오늘은 이 대머리 선인장과 샐리랑 시간을 보내야겠어."

"좋은 생각이야!"

모두에게 사랑받고 싶다면?

애석하게도 그럴 수는 없습니다. 모두를 만족시키기란 하늘의 별

따기보다 어렵죠. 빌은 모두에게 사랑받고 싶어 했습니다. 빌을 끔찍이도 싫어하던 카렌에게 까지 말이죠. 어떻게 하다 보면 그의 마음을 흔들 수는 있을 겁니다. 하지만 그것을 위해선 나의 많은 것을 바꾸거나 포기해야 하죠. 반대로 나를 있는 그대로 사랑해 주는 사람들은 어떨까요? 조금의 노력 만으로도 분에 넘치는 사랑을 받을 수 있을 겁니다. 혹은 남들의 시선에 매달리는 경우도 있습니다. 예를 들어, 본인이 어떠한 목표를 이루냈어요. 그건 다른 이들에게 존경과 칭찬을 불러왔을 겁니다. 내가 꽤 멋있는 사람이 된 것 같죠. 하지만 그 이후의 우리는 최소한 그 만큼의 성과를 보여야 나를 똑같이 좋아해 주리라는 압박을 느낍니다. 나 자신에게 말이죠. 그렇게 자신에게 점점 더 높은 기준을 요구하게 됩니다. 그렇게 점점 높아지는 기준은 결국, 더욱 자신의 목을 조여오는 압박이 되어있을 겁니다. 이뤄냈을 때의 우리에겐 축복과 존경을, 그러지 못했을 때의 우리에겐 격려와 위로를 건네면 충분합니다. 남들의 칭찬이나 압박에 너무 매달리지 말았으면 좋겠습니다. 나의 삶을 이끌어가는 건 나 자신이니, 나를 더 아껴주는 게 좋지 않을까요?

나를 사랑하고 싶은 나에게

나 자신을 사랑하세요. 정말 간단한 말이지만 실행에 옮기기는 어렵습니다. 어릴 때부터 우린, 남을 배려하고 사랑하고 사회적으로 성장하는 법을 집중적으로 배워가며 살아왔기 때문에, 그 대상을 나로 옮기기란 쉽지 않은 것이겠지요. 그럼 어디서부터 시작해야 할까요? 자신에게 깊이 빠져야 합니다. 내가 중심이 되어야 하죠. 하나씩 시작해 봅시다. 본인은 최근 어떤 감정을 느끼고 있나요?

맛없는 음식을 먹고도 꽤 먹을만하다고 얘기했나요? 사랑을 잃게 될까 불안한 마음에, 서운한 일이 생겨도 괜찮다고 했나요? 본인의 삶의 주체는 어디 있나요?

우선 첫번째로 나 자신에게 질문하는 겁니다. 어떠한 감정을 느끼든 두려워하지 말고 그 감정에 솔직해져 보세요. 감정에 옳고 그름이란 없습니다 그 감정을 피하지 마세요.

두번째로, 가끔은 '나를 위해서' 라는 행위가 필요합니다. 나를 위해서 맛있는 걸 먹고, 나를 위해서 좋아하는 것을 보고, 나를 위해서 선물을 하며 나를 위해 배려해 주세요.

세번째로는, 그냥 나를 인정해 주세요. 내가 나 인걸 부정하는 마음을 내려놓고 내가 느낄 수 있는 행복에 집중하세요 하루하루 자신을 위해 작은 실천을 해 보는 것도 좋은 시작이 될 수 있습니다. 그 누구보다 본인을 사랑할 수 있는 사람은 나뿐이고, 그 누구보다 나를 미워할 수 있는 사람 역시 나뿐이기에 그 무게를 헤아릴 줄 알아야 합니다.

밤도 깊었는데 커피나 한잔하자

...

"안녕? 오랜만이야. 비가 이렇게 많이 올 줄은 몰랐지? 나도 놀랐어 어서 들어와."
현관을 들어와 왼쪽에 있는 푹신하고 따뜻해 보이는 소파를 가리켰다.
"오늘은 나 혼자 있어. 여기 소파에 앉아서 몸 좀 녹이고 있어."
그 앞에는 태운 지 한 시간 정도 지나 보이는 벽난로가 이글이글 타오르고 있었다.
"오는 길은 좀 어땠어? 아침공기가 조금 쌀쌀했을 텐데 괜찮았을까?"
한 손에 얼그레이 티백을 집어들며, 그 옆에는 작은 커피포트에 뜨거운 물이 보글보글 끓고 있었다.
"긴 시간이 흘렀는데 어쩜 얼굴은 바뀐 게 없네. 우리가 동안이라 그런가? 아냐 거기 앉아있어, 딱히 도울 건 없고 손님이니까 대접하는 게 당연한 거야."
뭘 좀 도울 게 있을까 일으킨 몸을 다시 내린 채 가만히 벽난로를 응시했다.
"소식은 간간이 들었어. 정말 바쁘게 살고 있더라고? 그래서 오겠다는 연락이 왔을 때 한 편으로는 걱정 했어. 무슨 일이 생긴 건 아닐까? 전화나 문자로는 할 수 없는 얘기들 그런 거 있잖아."
살짝 미지근한 표정을 보인 나를 슬쩍 쳐다보다 다시 찻잔에 물을 따른 뒤 내게 가져다주었다.

"그래도 찾아와 주어서 고마워. 발걸음을 옮긴 것 만으로도 큰 용기인걸? 일단 이것 좀 마셔봐. 너가 좋아하는 거잖아."

귀여운 판다가 그려져 있는 하얀색의 컵을 조심히 들어 입술에 갖다 대었다.

"조심해, 방금 내린 거라 뜨거울 거야."

후- 불어가며 들이킨 한 모금은 조금 뜨거웠으나 한 모금 한 모금 마실 수록 따뜻해졌다.

"좋아하던 것 들을 다시 더듬어 보면 조금씩은 무언가 누그러지지 않을까?"

조금 맑아진 내 표정을 보고 안심한 듯이 얘기했다.

"고생 많았어. 여기까지 오는 길도, 마음도 그렇게 쉽지는 않았을 텐데."

빗소리와 장작타는 소리가 참 닮아 있어 귀를 간지럽혔다.

"나? 나는 음..글쎄 잘 지내고 있는 편이야. 걱정은, 음..나는 있잖아, 대부분은 타인을 생각하면서 살았어. 내가 좀 더 어떤 모습을, 어떤 배려를 해야 상대가 좋아할까? 그런 마음을 항상 가지고 살았던 것 같아. 물론 내 욕심이기도 했지. 그런 내 모습을 또 좋아했으니까. 근데 쉬지 않고 그렇게 달려온 결과가 나를 아프게 하더라? 사실 건강을 그렇게 중요하게 생각하지는 않았거든. 내 몸 조금 희생해서 더 나은 결과가 보이면 그게 참 뿌듯했지 내 몸이, 내 마음이 망가지는 건 생각하지 않고. 모두 다들 열심히 살잖아? 근데 그게 과연 내가, 나를 위한 열심히였는지 잘 몰랐어. 보통 다들 그러는 것 같아. 내가 좋아하는 미래를 생각 해서도 가끔 돌아볼 필요가 있어, 결국 나잖아? 내가 중심이 되어야 하는 내 얘기인데 그걸 난 이제라도 알게 되어서 다행이라고 생각해."

얘기를 들으며 이제는 따뜻해진 티를 자주 홀짝였다.

"그래서 어떤 의미로는 너가 참 대단해. 아직까지 쉬지 않고 바쁘게 살잖아. 한 편으로는 부럽기도 하지만 한 편으로는 걱정돼. 그 마음 너가 다스리기 참 어렵지. 오랜만에 만나서 무슨 얘기인가 싶은데 그냥 너도 알았으면 해서.”

마지막 남은 티를 홀짝였다.

“어때 맛은 좀 괜찮아?”

고개를 끄덕였다.

“다행이다. 나 아직 비를 많이 좋아한다? 보슬비가 내릴 때는 그냥 맞고 다니는 것도 아직 좋아하고. 나이를 먹어도 이런 건 똑같은 거 같아 참 웃긴다 그치. 어디서 들었는데 인생은 폭풍우가 지나가기를 기다리는 것이 아니라 빗속에서 춤추는 법을 배우는 것이라고 했어. 가끔 비가 올 땐 이 말이 생각이 나더라, 그냥 어떨 땐 막 답답한데 그냥 비 맞으면서 춤이나 출까? 하고, 웃기지. 생각이 많으면 머릿속이 어지럽잖아? 근데 빗소리도 잘 들어보면 되게 어지럽지 않아? 어쩌면, 가만히 듣고 있으면 똑같이 어지러운 소리니까 빗소리가 조금은 덮어주지 않을까? 하는 생각도 하곤 해. 그래서 내가 빗소리를 좋아하는 건가?”

조금의 실없는 대화가 오고 가니 그 사이 저녁식사 까지 마치게 되었고 밖은 캄캄해지기 시작했다.

“비는 그칠 기미가 안 보인다 그치. 오늘은 걱정거리가 많이 사라지려나 보다.”

낮은 나무 층계를 밟아 2층으로 올라가니 안쪽에 커다란 아치형 문이 있었고 가장 안쪽으로 안내받았다.

“여기가 네 침대야, 편하게 써.”

침대 아래쪽에 낮에는 눈에도 안 보였던 작은 새끼 고양이가 새근새근 잠들다 막 깨어났다.

“아 맞다, 이번에 데려온 아이야. 아직 새끼라 잠이 많아.”

침대는 연한 아이보리 색깔에 누가 봐도 구름처럼 폭신폭신해 보여, 당장이라도 뛰어들고 싶게 생겼다.

“그래 아까 보여준다던 사진 좀 보여줘, 좀 지난 사진이긴 하지만 그래도 행복했던 기억이잖아? 흠 많이 없으면 뭐 어때 앞으로 곧 있으면 또 많이 찍을 건데. 아 참, 밤도 깊었는데 커피나 한 잔 하자." 뭐가 그리 급한지 층계를 토독토독 빠르게 내려가는 소리가 들렸다. 빗소리와 닮았다.

내가 너무 힘들 때 기대도 될까?

기댈 수 있는 사람이 있으면 기대는 게 좋습니다. 우리의 관계는 서로의 믿음 아래 이어져 있으니까요. 내가 힘든 순간에 믿는 사람에게 의지했을 때, 잠시의 안정을 얻습니다. 그 과정에서 서로가 불편함을 느끼면 그 관계는 재고해 봐도 되지 않을까요? 잘못된 행동은 아닙니다. 분명 상대도 힘들 때가 오면 당신에게 의지할 수 있겠지요. 그 때 우리도 똑같이 옆에 있어주면 됩니다. 그리 어려운 것도 아니죠. 물론 서로에게 너무 지나친 의지는 독이 될 수도 있겠지만요. 항상 적당한 게 중요합니다 가장 어렵지만 우린 그 적당함을 목표로 삼아야겠죠. 저는 마음이 불편할 때 어머니와 대화를 자주 나눴습니다. 어떤 경우엔 항상 옆에 있지만 가장 속마음을 나누지 않는 관계일 수도 있죠. 성인이 된 이후, 어느 순간부터 나에게 가장 필요한 조언을 해 주시는 걸 눈치챘습니다. 왜 이전엔 몰랐을까요. 하지만 이것 하나는 확실하죠, 나를 항상 믿어주는 사람인 겁니다. 그 만큼 내 입장을 가장 헤아리려 하는 관계인 거죠. 이걸 이제서라도 깨달아서 다행이라고 생각해요, 이런 믿음과 사랑을 잃어버릴 뻔했기 때문입니다. 그런 사람들이 항상 옆에 있습니다. 익숙함에 소중함을 놓칠 때가 있죠. 주변을 돌아보세요, 조건 없이 본인을 믿고 의지해 주는 사람에게 나도 그런 사람이 될 수 있나요?

소소하지만 확실한 행복이 있다면

나 자신만이 느끼는 행복함이 분명 우리 주변 여러 곳에 있습니다. 어쩌면 그게 밤 늦게 마시는 커피 한 잔 일지도 모르죠. '소확행' 이라는 말이 있습니다. '소소하지만 확실한 행복' 이란 뜻인데, 그 럼 확실하지 않은 행복도 있을까요? 당연히 있습니다. 그것은 기 준의 차이에 있다고 생각합니다. 타인의 기준에서의 행복이 과연 나의 행복일지 생각 해 보는 겁니다. 살아가면 서 항상 나 자신만 의 기준이 있을 겁니다. 예를 들어 나만이 느끼는 행복 같은 거요. 포근한 이불이 덮여진 침대 위에 누워서 이런저런 얘기를 나누는 순간이 전 행복하더군요. 예쁜 카페에서 가장 여유로운 시간에 누 군가와 커피를 마시는 순간도요. 아침 일찍 일어나 운동을 하는 것 역시요. 가끔 그런 행복을 실천하려 합니다. 그 나만이 느끼는 무언가에 집중해 보세요. 당장은 어려워도 그러한 것들이 모이면 꽤나 도움이 될겁니다. 작은 행복들은 마치 쿠션과 같습니다. 힘 든 상황이 닥쳤을 때 버팀목이 되어 주기도 하거든요. 예를 들어, 높은곳에서 떨어지는 일을 힘든 상황이라 치고, 소소한 행복을 나 무라고 합시다. 소소한 행복이 모이고 모여, 커다란 숲을 이루면 높은 곳에서 떨어져도 사소하겠지만 조금의 완충작용을 할 것입 니다. 반대로, 아무것도 없다면요? 그대로 땅에 곤두박질 치겠지 요. 조금 짓궂은 예시지만 소소한 행복의 장점을 얘기합니다.

작은 바다 위에 누워서

⋮

'오늘 기분은 좀 어때?' 하루 종일 조용했던 핸드폰 화면에 반가운 이름이 보였다. 오래 전 다른 지역으로 이사를 가 한동안 소식이 없었던 베리와 최근 들어 다시 서로의 안부를 묻게 되었다.

"그럭저럭인 것 같아."

이내 화면에 '…'이 뜨더니 바로 답장이 왔다.

'아직 좀 힘든가 보네.'

"맞아"

'오늘은 뭐 했어?'

"딱히 아무것도? 너도 알다시피 여기 플로리다는 지금 좀 흐려, 곧 비가 올 것 같아. "

'그렇구나 여기는 아직 쨍쨍하거든. 밥은 맛있는 거 먹었어?'

"아침에 식빵에 블루베리 잼 조금 발라서 먹었어"

'이런, 저녁은 더 든든한 걸로 먹어. 살이라도 많이 빠졌을까 걱정이네.'

"고마워, 저녁은 많이 먹어볼게."

'좋은 생각이야, 지금은 뭐 하고있는 일은 없지?'

"딱히, 그냥 쉬고 싶을 뿐이야. 사실 뭘 하고싶은지는 잘 모르겠어. 순식간에 직장이 사라질 거라는 생각은 못 했지."

'하긴, 주변에서는 뭐래?'

"그냥 그래. 마음 추스르고 다시 잘 일어나 보라고 하지, 사실 정리해고 당할 때 부장이라는 사람이 충고를 해 줬어."

'뭐라고 했는데?'

"나는 일할 때 잡생각이 너무 많대. 충분히 진행하면 끝날 문제를 계속 꼬리를 잡고 물어져서 기획하는 프로젝트도 무산되고, 기한도 늦어진다고 어딜가서든 입을 다물고 있는 법을 좀 배우라더군. 그래놓고 말하고 나니 답답한 게 좀 풀렸다나."

'근데 무산된 프로젝트는 오히려 잘된 거 아냐? 팀장이 제출한 유기 화합물도 안전성에 문제가 심했고 반대 의견도 많았던 걸로 기억하는데, 그리고 실험 파일은 제출 기한이 애초에 너무 짧았잖아. 실제로 불만도 많았고, 그냥 핑계 아니야?'

"그렇기는 하지, 근데 계속해서 프로젝트를 질질 끄는 건 나도 문제가 있다고 생각해."

잠시 대화가 끊겼다. 조용해진 핸드폰이 다시 울리기 전까지 그렇게 긴 시간이 필요하지는 않았다. 그 사이 밖은 검은 구름이 하늘을 뒤덮었고, 이내 장대비가 내리기 시작했다. 포근한 소파에 반쯤 기대 비가 오는 풍경을 보니, 문득 저 속에 들어가고 싶다는 생각이 들었다. 포근해 보였다.

'...'

'기다렸지? 헤이즐이 배가 고팠는지 글쎄 소파를 뜯어먹고 있었더라고.'

익숙한 이름이 눈에 보였다.

"헤이즐이면 그때 그 작은 웰시코기?"

'맞아, 보면 깜짝 놀랄걸? 이제 웬만한 새끼 곰만해.'

"시간이 벌써 그렇게 흘렀구나."

'아무튼 본론으로 돌아와서 너는 부장이 그 말을 할 동안 그냥 듣고만 있다가 나온거야?'

"응 그런 셈이지."

'그건 충고가 아니야. 충고하는 사람이 마음 아파야 진짜 충고지, 충고랍시고 얘기해 놓고 답답한 게 시원해진 건 상대방을 위한 충고가 아니라 본인 마음 편하자고 하는 말이야.'

그때 비가 더 거세 지고, 창문 여기저기서 쿵쿵 하는 소리가 울렸다.

'그냥 지 하고싶은 말 했구만, 평소에 너가 마음에 안 들었나 봐 너무 마음에 두지 마. 너도 심란해서 멍-했나보네 정리해고도 충분한 설명은 못 들었다며?'

"그치."

'...'

무언가 고민하듯 '...'이 생겼다 사라졌다를 반복했다.

'지금 날씨는 좀 어때?'

"비가 많이 내리네."

'마음속에도?'

"그럼~"

둘은 웃으며, 잠시 시답지 않은 대화를 나눴다.

"저 비가 왠지 포근해 보여. 벌써 여기저기 웅덩이가 생겼어."

'그럼 가서 안겨봐, 그냥 뭐든 널 안아줄 수 있는 게 있다면.'

"그것 참 좋은 생각이다."

'뛰어들고 후기나 들려줘.'

핸드폰을 소파에 던져두고 홀린 듯 밖으로 나갔다. 도로는 하나의 강이 되어 나의 발목을 붙잡았고 꼼짝없이 발이 묶여 움직이지 못해, 난 그대로 드러눕기로 했다. 하늘이 만든 작은 바다 위에 얹혀, 감히 하늘을 바라보며 몸을 맡겼다. 얼마나 시간이 지났을까.

"아빠! 여기서 뭐 하고 있는 거야?"

그때 막 학교 수업이 끝나고 집에 돌아온, 파란 우비를 입은 딸이 시야에 들어왔다.

"나도 누울래!"

"그래 옆으로 와서 눕자."

그러자 딸은 첨벙 소리를 내더니 내 바로 옆에 드러누웠다.

"엄마는 이런 거 못 하게하는데 우리 혼나는 거 아냐?"

"뭐 어때, 혼나면 되지."

비는 멈출 줄 몰랐고, 무심코 나온 눈물은 아무도 눈치채지 못 했다.

타인의 말에 너무 휘둘릴 필요는 없다

주변인의 말에 많이 휘둘릴 때가 있지 않나요? 특히 그 사람이 나보다 더 높은 위치에 있다고 생각되는 사람이면요. 그런데 그게 다 정답일 이유도 없지 않나요? 우리는 정말 많은 사람과 삶 속에 섞여 살고 있습니다. 서로 다른 배경, 서로 다른 가치관, 서로 다른 생각 등이요. 나에게 조언이나 충고를 해 주는 사람은 어떤 가요? 진심으로 내 입장을 이해하고 나를 위하고 있나요? 그렇지 않은 경우도 있죠. 그걸 구분할 줄 알아야 합니다. 혹시 인연 속에서 자신의 결함을 찾고 있지는 않나요? 다른 사람과 비교해 가면서 본인의 단점을 찾아내는 짓 말이죠. 다들 각자의 책을 지니고 있습니다. 세상에 셀 수 없이 많은 책이 있는 것처럼 말이죠. 또한 여러 주제가 있습니다. 동시에 여러 장르와 인물, 줄거리와 서사 등이 있죠. 여러분의 책 역시 본인의 이름으로 시작되어 복인만의 색으로 물들어 있고, 그게 그 책의 시작과 특징입니다. 다양한 기로가 있고 그 앞에서 고민하는 것 역시 당연합니다. 하지만 그 책 속의 이야기는 분명 본인의 것임을 인지해야 합니다. 누군가의 도움을 받을 수는 있지만 여전히 자신의 색을 잃지 않도록 노력해야 합니다.

남들이 보는 나는 어떨까?

남들의 보는 나는 나의 단면입니다. 내 인생의 한 순간을 맞닿은 그 사람들이 나를 보는 시선은 결국 타인의 기준 안에서의 우리이지요. 서로의 깊이만큼만 생각하세요. 그 이상의 마음을 내어줄 수 있는 여유가 있다면 그만큼 당신은 여유 있고 단단한 사람이겠지요. 눈치를 많이 보는 것 역시 나를 주눅들게 하는 습관 중 하나일 수도 있습니다. 타인을 생각한다는 것은 지극히 개인적인 경험이나 생각을 기준으로 타인의 마음을 짐작하는 것뿐입니다. 나를 투과하며 사람을 보기보단, 조금 어렵겠지만 상대 그 자체를 이해하려는 자세도 필요합니다. 물론 나에 대해 어떻게 생각할지 궁금한 건 당연한 겁니다. 다만 그에 대한 걱정을 조금 내려놓는 법이 필요한 것이죠. 가끔씩 나를 스쳐간 사람들도 나를 궁금해할지 생각합니다. 나는 그런 당신들이 궁금합니다. 인생에 한 부분에 스며들었을지, 나를 떠올릴 때가 있을지. 한편씩 그리운 사람들이 꽤 있지요.

빵집의 고소한 소리가

⋮

오늘도 그랭비아르 상점가에 불이 하나씩 꺼져간다. 가게에 빵이 많이 줄어들었을 즈음, 한 두명의 손님이 가게로 들어왔다.

"요즘 젊은이들이 많이 사 가는 것이 무엇이오?"

그중 한 중년의 남성이 물었다.

"그 손님 바로 앞에 있는 소금빵을 제일 많이 사 갑니다. 왜인지는 모르겠는데 요새 불티나게 나가더군요."

상점가 중심에 있는 가장 작은 빵집에 줄을 서서 사 가는 평범한 손님 중 하나였고, 그 중년의 남성은 앞에 있던 소금빵 두 개를 집어 계산대로 가져왔다.

"나도 한번 먹어보겠네."

"그런데 그렇게 특이한 맛이 나지는 않습니다. 젊은이들 사이의 유행이 뭔지는 잘 모르겠지만요."

"허허, 그런데 사장님도 자식이 있나?"

뜻밖의 질문에 잠깐 입이 멈췄다.

"아..예 전 아직 덜 큰 아들이 하나 있습니다."

"나도 다 키운 아들놈이 하나 있네."

"그렇군요."

"요새 아들놈이 친구들과 이런 걸 자주 사 먹길래 나도 궁금해서 하나 먹어보려고 하네."

"좋네요, 요즘 애들은 자주 그런 걸 커피랑 같이 먹지요?"

"참, 그 쓴 거를 어떻게 그렇게 잘 먹는지 모르겠어 허허."

소란스러웠던 바깥은 하나 둘 그 목소리를 죽여가는 시간이었다. 날이 조금 어두워졌다.

"요즘 아이들은 감정을 잘 드러내지 않더군요. 알아보기엔 나도 너무 늦었고 물어보기엔 조금 서먹한 관계라..."

중년의 남성은 조금 씁쓸한 표정을 지으며 옆에 있던 작은 테이블에 앉으며 말했다.

"그럼 그 쓴 커피도 한 잔 마셔볼 수 있을까?"

"그리 늦은 시간은 아니니 천천히 즐기다 가세요."

그라인더에 원두가 갈리는 고소한 소리가 울려, 가게를 가득 메웠다.

"아이들이 앉아서 커피의 맛을 많이 즐기던가요?"

앉아있는 남성에게 물었다.

"썩 그래 보이지는 않더군요 허허."

"제 아들도 그걸 하나씩 옆에 두고 '이게 없으면 살 수가 없다' 라는 식의 말을 자주 하는데 그게 하나의 해소 방법인 것 같아요."

"해소 방법이요?"

"아이들 사이의 하나의 사회더라구요. 깊은 감정이 목구멍까지 차오르면 커피 한 잔에 그걸 넘겨버립니다. 좀 살 것 같다면서요. 다들 감정을 약점으로 생각하더라구요. 내비치면 잡아 먹히고 숨길수록 강하다는 마음이요."

그 사이 커피가 나왔다.

"드셔 보세요."

남성은 뜨거운 커피를 한 모금 들이키고는 이내 미간을 찌푸렸다.

"여전히 쓰구만."

하고 말 하며 앞에 있는 빵도 한 조각 뜯어먹었다. 그러더니 남성의 표정이 갑자기 밝아졌다.

"이게 쓴 맛을 잘 가려주는구만, 이래서 같이 먹는 건가?"

직원은 하하하 웃으며 얘기했다.

"그럴지도요. 우리는 이해하지 못 하지만 그들만의 세상이 있는 거겠죠."

"우리와는 조금 다른 높이에서 세상을 보고 있겠구만."

"한 편으로는 두려워하고 있을 거예요. 감정을 표현하는 것 자체가 자기의 깊은 내면을 마주하게 되는 것이니까요. 몸이 아프면 병원에 가지만, 보통 마음이 아프면 그걸 자기 탓으로 돌리죠"

이제는 익숙해진 듯 쓰디 쓴 커피를 몇 번 홀짝이던 남성이 말했다.

"왜 커피를 마시는지 조금은 이해하겠네."

"그럼 다행이네요. 아드님도 익숙하지 않아서일 거예요. 어릴 때부터 꾹꾹 참아왔어야만 했던 그런 환경이라든지 마음가짐이 계속 감정을 커피로 삼키게 할 수도 있죠. 다 참아내기엔 속은 아직 어린데, 그렇다고 목놓아 울기엔 몸은 너무 커버렸을 테니."

띠링-하는 가게 문이 열리는 소리가 들렸다.

"어서오세요!"

가만히 듣고있던 중년의 남성이 물었다.

"아들과 남은 이 빵 하나를 나누는 건 어떻게 생각합니까."

직원이 대답했다.

"커피 한 잔도 있으면 최고겠죠."

감정은 곧 약점일까?

감정은 우리가 가진 강력한 무기 중 하나입니다. 때때로 우리는 하고싶은 말이 있어도 하지 못 하죠. 힘들 때 힘들다고 하는 것조차 남에게 피해를 주는 것 같고 화날 때 감정을 표출하는 것 자체가 타인에게 상처를 입힐 수 있다는 방어적인 심리가 날 가로막을 때가 많습니다. 우리는 왜 그렇게 감정을 억누를까요? 우리는 감정을 돌보는 방법도 배워야 합니다. 어떤 이는 화가 나는 상황에서 참는 걸 미덕이라 생각합니다. 화가 나는 상황에서도 항상 웃으며 넘어가려는 사람을 타인은 어떻게 볼까요? 만만하게 볼 수도 있습니다. 어느 정도의 일로는 화도 내지 않을, 막 대해도 되는 사람으로 볼 수도 있죠. 그렇게 해갈되지 않은 화는 언젠가는 화산처럼 분출됩니다. 터져버린 화산은, 자기 자신조차 제어하지 못한 채 물건을 깨부수거나 폭력으로 나타나는 경우도 있죠. 그런 마음가짐은 자기 자신을 망가지게 할 뿐만 아니라 주위의 사람에게도 상처를 심어줄 수 있습니다. 그 에너지는 강력한 힘을 가지고 있기에 더욱 다스리는 법을 알아야 합니다. 저는 매일 짧게 일기를 씁니다. 항상 특별한 걸 쓰지는 않지만 그 날에 일어난 일, 감정 등을 써 보면 자신의 감정을 더욱 객관적으로 바라볼 수 있습니다. 혹은 주변의 사람들과 툭 까놓고 감정에 대한 대화를 해 보는 건 어떨까요? 커피 한 잔과 빵 한 조각이면 그럴싸한 자리가 마련될 수도요. 그렇게 조금씩 깊은 감정을 받아들여보는 것이 자신의 마음을 이해할 수 있는 작은 시작이 될 수 있습니다.

우는 게 꼭 나쁜 것 만은 아니다

눈물이 아니면 내 슬픈 감정을 솔직하게 드러낼 방법이 뭐가 있을까요? 보통 슬픔과 우울을 내비치는 게 약점이라고 생각합니다. 부끄러운 것이라고 치부해 버리고 꽁꽁 숨기려고 노력하죠. 우리는 깊숙이 있는 이 감정을 똑바로 마주할 필요가 있습니다. 아플 땐 아파하고 울고 싶을 땐 목놓아 울 때가 필요합니다. 쌓이고 쌓인 감정은 언젠간 폭발하기 때문이죠. 이 무거운 감정을 맑게 보긴 싫어, 알코올 등에 의지할 때도 있습니다. 참 반가운 일은 아니지만 내 감정은 내가 다스리는 법을 배워야 합니다. 결국 내 마음을 온전히 받아들이고 이해할 수 있는 건 나뿐이기에 자신을 보듬어주는 마음을 키우는 건 어떨까요? 울고 싶을 땐 울어도 됩니다.

감당하기 어려울 때

가끔씩 괴로울 정도로 깊은 늪에 빠질 때가 있습니다. 그때가 지금일 수도, 미래일 수도, 과거일 수도 있지만 그 또한 지나갈 것이고 극복할 겁니다. 언제나 고통은 성장을 동반하기 때문이죠. 감당하기 힘들만큼 아픈 고통은 감당하기 힘들만큼 성장할 양분이 될 겁니다. 우린 아파할 때는 한껏 아파하고, 행복할 때는 충분히 그 행복을 누릴 자격이 있습니다.

물려지지 않은 유산

∴
∴

"고기가 거의 다 떨어졌잖아!!"

갑판 위에서 고함소리가 들렸고, 살짝 벌어진 나무 문 사이 사이로 시끌벅적한 웃음소리와 음악소리가 끊이질 않는다. 잠시 잠들었었는지 큰 소리와 함께 눈이 떠졌다.

"드레이크!"

점점 멀리서부터 발소리가 커지더니 그 소리는 어느새 내 앞까지 와 있었다.

"드레이크! 와인병은 찾은 거야? 어째 하나가 안보이더니.." 가죽으로 만든 옷이 꽉 끼도록 덩치가 큰 그 남자는, 술로 목욕을 한 듯한 냄새를 풍기며 내게 와인병의 위치를 물었다.

"그..저 쪽에 굴러가 있었더라고요."

자연스럽게 손을 뻗어 저 안쪽을 가리켰다.

"그래? 또 누가 취해서 엎어버린 거야? 또 걸리면 다리를 분질러 버리겠어!"

그는 많이 취해 있는지 휘청거리는 몸을 이끌고, 투덜거리며 와인통이 있는 곳으로 향했다. 그가 모퉁이를 지나자 곧, 쿵 하는 소리와 뒤이어 코고는 소리가 들려왔다.

"술을 얼마나 마신 건지.."

나는 큰 소리가 나는 갑판 쪽으로 올라갔다.

"드레이크! 어디 있었어? 다들 찾던데."

마침 갑판 입구에 있던 동생이 나를 불러 세웠다.

"아..잠깐 자다가 올라왔어."

"눈은 또 왜 그리 쳐져 있어? 어제 무슨 일이라도 있었어?"

18세기 초엽, 베이커 남쪽 항구도시에 해적선 한 척이 나타났다. 세계적으로 악명이 자자한 해적인 아버지는, 배에 타 있던 드레이크 역시 해적이 되길 바랐으며, 드레이크에겐 벌써 세 번째 약탈의 밤이 시작되었다. 해가 떨어져가고 거리 곳곳에는 랜턴 빛이 켜질 때였다. 해적들의 약탈이 시작되고 거리 곳곳엔 비명소리와 깨지고 부서지는 소리가 들려왔다. 아직 모든 게 익숙하지 않던 드레이크는 칼 한 자루를 들고 가장 가까이에 있는 골목길로 들어갔고, 안쪽으로 구불구불 이어져 있는 골목길 사이에 작은 그림자 하나가 눈에 들어왔다.

"어린애?"

그곳엔 아직 부모님 곁에만 붙어있을 법한 작은 어린아이가 겁에 질려 하며 서 있었다.

"여기서 혼자 뭐하고 있는 거야?"

드레이크가 다가가자 아이는 한발씩 뒷걸음질을 쳤다. 그제서야 드레이크는 손에 있는 칼을 눈치채고 바닥에 떨어뜨렸다. 그 소리에 아이의 발걸음도 멈췄다. 드레이크는 무언가 생각난 듯 호주머니에서 바나나 한 개를 꺼내어 아이에게 건네주었다. 처음엔 아이도 우물쭈물 하더니 이내 바나나를 받아들었고 아이도 주머니에서 무언가를 꺼내는 모습이었다.

"뭘 꺼내는 거야?"

아니나 다를까 꾸겨진 지폐 몇 장이었고 부들부들 떨리는 손을 내밀어 건네준 뒤, 아이는 도망가듯 빠르게 그 자리를 벗어났다. 드레이크는 구겨진 지폐 몇 장과 떨어진 칼 한 자루를 번갈아 가며 처다본 뒤, 조금의 허탈함을 느낀 채 다른 곳으로 이동했다.

"그래서 어제 그 돈을 받고 무슨 생각이 들었는데?"

가만히 듣고 있던 동생은 팔짱을 끼며 물었다.

"난 이 일에 맞지 않은 것 같아."

"음.."

"애초에 맘에 들지 않았어. 그냥 어머니 옆에서 가게 일이나 돕는 게 훨씬 마음이 편할 것 같기도 해.

"드레이크, 사실 오래 전부터 형과는 맞지 않은 것 같다고 느꼈어, 약탈하는 건 어울리지도 않고."

"난 그저 아이가 겁에 질려 보여서 좀 풀어주려 했었어. 무언가를 뺏고 싶지도 않았고."

"아이는 그냥 간 거야?"

"응 맞아, 돈만 내놓고...순간 그런 생각이 났어."

"뭔데?"

"준 만큼 돌려받아야 할까?"

"꼭 그럴 필요는 없지."

"그렇지? 그냥 내가 주고 싶어서 주는 마음이잖아. 그 대가를 꼭 돌려받을 필요는 없다고 생각해, 사실 그 돈 그 자리에 두고 왔어. 물론 누가 주위 갔을지도 모르지만 그냥...왠지 그렇게 하고싶었어."

"그랬구나. 그럼 이제 어떻게 할거야?"

"아버지께 가 봐야지."

순간 파도에 배가 기울었다. 갑판의 떠드는 소리는 더 커져갔고 여기저기서 쿵 하는 소리가 들려왔다가 다시 잠잠해졌다.

"분명 화내실거야."

"나도 알아, 그렇다고 계속 여기 있으라고?"

"내일 이맘때 베리타 항구에 정박할 거야. 거기서,"

"무슨 말인지 알겠어."

준 만큼 돌려받아야 할까?

꼭 그렇지만은 않습니다. 준 만큼의 가치는 내가 정하는 거니까요. 결국 자신의 마음입니다. 반대로 생각 해 볼까요? 상대가 나에게 60을 주었다고 해서 나도 똑같이 60을 줘야 할까요? 조금 이기적이라고 생각할지도 모르겠네요. 강요할 필요 또한 없죠, 마음이란 너무나 주관적입니다. 서로 주고받는 게 그곳의 룰이라면 응당 그렇게 하는 게 좋겠죠. 하지만 우리가 주변인에게 베푸는 선의의 마음은 어떨까요? 우리는 보통 나눈 만큼 돌아와야 한다는 보상심리를 가지고 있습니다. 이 때문에 보상받지 못한 마음이나 선물 따위에 상처를 받는 경우도 있지요. 조금 관점을 바꿔볼까요? 상대에게 마음을 나누어 줄 때의 기쁨에 집중해 보는 건 어떨까요. 베품을 배울 때 우리는 더욱 넓은 시야가 필요합니다.

배려와 나눔의 가치

배려와 마음의 가치는, 무거워서 혼자 감당하기 힘들 때가 많습니다. 배려란 본디, 관심을 가지고 나의 마음을 써서 남에게 베푸는 걸 말하는데 나의 일부를 떼어준다는 것 그 자체 만으로도 큰 의미를 가지며, 또한 많은 에너지를 소모합니다. 그 증거로, 때론 타인의 배려에 부담을 느끼는 경우 또한 존재합니다. 그 무게가 결코 가볍지만은 않다는 걸 증명해주죠. 그러하기에 마음을 나누는 것 또한 소중하게 생각해야 합니다. 주변에 소중한 사람이 몇이나 있나요? 내가 사랑하는 사람 혹은 친구 등이 떠오를 겁니다. 가끔씩 그 마음의 무게를 망각할 때가 있을 겁니다. 순간의 감정이 누군가의 마음에 깊은 상처를 입힐 때가 있죠. 상대에게서 내게는 마음에 들지 않는 부분이 가끔 거슬리게 합니다. 하지만 서로 다른 형태의 마음이 만나 가까워지며, 깊어진 그 마음의 가치는 값을 매길 수 없습니다. 자신 또한 완벽하지 않다는 걸 자각해야 합니다. 반대로, 내가 마음을 줄 때 역시 그 무게를 충분히 이해하고 있어야 합니다. 어떨 때는 나 자신을 다치게 하거나 깎아내리며 지나치게 큰 배려와 마음을 나눌 때가 있습니다. 받는 쪽의 가치가 큰 만큼, 주는 쪽의 가치 역시 작지 않습니다.

꽃이 봄에만 피지 않듯이

∴

총알이 박혀 있을 줄은 상상도 못했다. 이미 싸늘해진 사슴을 눈 속에 문어두고 능선을 내려왔다. 내려오는 길에 눈 속에 파묻혀 있는 철창과 돌 무더기를 피해 가는 게 조금 번거로웠지만 이젠 익숙해졌다.

"용병!"

저 멀리서 손을 흔드는 애서가 보였다.

"애서, 사냥꾼들이 이 근방까지 넘어왔어. 관리는 누가 하는 거야?"

들고 있던 소총을 애서에게 건네었다.

"다음 일은 우리한테 맡기고 좀 쉬지 그래?"

"됐고, 내가 거친 보호소도 몇 번째 몰락인지 모르겠어. 너도, 여기 사람들도 정신 똑바로 차리는 게 좋을 거야."

애서에게서 항생제와 의뢰비용을 챙긴 뒤, 나는 애그리드 경계로 향했다.

"망할 놈들, 이젠 사냥꾼들도 테오도르 쪽으로 줄타기를 하다니, 대가리가 제대로 달린 거야?"

끝이 보이지 않는 흰 도로를 계속 질주하다 보니 어느새 밤이 되었다. 이후로 3시간을 더 달렸을까, 곧 중앙도시가 눈에 보였고, 가는 길목엔 버려진 보호소에서 희미하게 전광판이 빛나고 있었다. '가장 안락한 낙원에서 모든 사치를 누려보세요!'

"낙원...개 같은 소리."

그렇게 중앙도시를 살짝 벗어난 애그리드 경계에는 보호소를 잃은 피난민들이 모여 있었다. 그들은 하나같이 냉사병에 걸린 환자들이었고, 치료제를 독점한 낙원이라는 중앙도시엔 발끝도 도달하지 못 한 사람들이었다. 경계에 도착한 뒤 가장 먼저 나를 알아본 건 보호소라는 개념이 처음 세워졌을 당시 초기 감염자인 나를 담당했던 간호사였다.

"오랜만입니다."

"오랜만이에요. 주변은..이제 사냥꾼들까지 보호소를 겁탈해 항생제 뿐만 아니라 사람까지 데려가는 지경이에요."

"곧 테오도르를 만날 겁니다. 제가.."

그때 두통이 심하게 몰려왔다.

"윽."

마치 뇌를 뚫는 듯한 고통은 머리를 감싼 팔까지 이어졌다.

"세상에 괜찮으세요? 얼른 항생제를.."

"괜찮습니다.."

나는 주머니에서 급하게 항생제를 꺼내어 삼켰다. 팔은 마치 얼어버린 듯 감각이 사라졌다가 수 초가 지난 뒤 다시 돌아왔다.

"이 지옥에서 벗어날 방법이 있을까요."

간호사는 굳어진 얼굴로 물었다.

"곧 끝날 겁니다. 겨울에 피는 꽃도 있으니까요."

나는 주변에 있는 환자들과 남은 생존자들의 상태를 잠깐 살피고 다시 차에 올랐다. 근방에 용병들이 모여 있는 초소가 있어, 그날은 그곳에서 밤을 보냈다. 다음날 아침, 목구멍이 아릴 듯이 차가운 공기가 들어왔다.

"으윽 누가 창문을 열고 잔 거야?"

꽤 늦게까지 잠들어 있었는지, 일어나 보니 초소에는 아무도 없고 창문은 열어져 있었다.

"다들 부지런하군."

조금 늦은 아침에 어제의 모습 그대로 차를 타고 중앙도시로 향했다.

"무슨 일로 방문하셨습니까."

"빠르게 지나가겠습니다."

역시 검문소에서도 당연히 나를 반갑게 여기지는 않았다. 자연스럽게 연구원임을 증명하는 배지를 보여주고, 나는 도시 깊은 곳으로 들어갔다. 가는 길엔 축축하게 죽어든 나무들 사이로 깔끔하게 정돈된 건물들이 보였고, 그리 멀지 않은 곳에 회사가 있었다. 안으로 들어서니 직원들은 이미 용병이 오는 걸 다 알고 있는 눈치였고, 나는 빠르게 테오도르의 방까지 갈 수 있었다.

"테오도르!"

문을 벌컥 열고 들어가니 예상보다 꽤나 야위어 있는 그의 모습이 보였다.

"오랜만에 보는 얼굴이네, 밖에선 이제 용병 일을 한다지?"

"집어치우고, 대체 무슨 생각으로 일을 이 지경까지 끌어낸 거지? 네놈이 대체 몇명의 목숨을 앗아가고 있는지 알고 있는 거야?"

테오도르의 눈빛은 처음과 달리 점점 차가워졌다.

"네놈들이 망했으면 했어."

"뭐?"

"실패한 과학자의 몰락이 얼마나 끔찍했는지 알아?"

"항상 당신들의 행복이 나의 불행이었어. 바이러스가 퍼지기 시작할 때 부터 죄다 하나같이 서로의 작품을 훔치기 바빴지."

"그건 모두가 동의한 내용이었어."

"아니? 그건 내 작품이었어. 아니 난 그딴 서약서에 동의한 기억도 없고 시작은 훨씬 이전 부터였어. 그놈들이 내 작품에 손을 대기 시작한 게."

나는 입이 다물어졌다.

"내 명성이었고 내 전부였어..너는...그때 그걸 지켜만 봤어."

"나도 마음이 아팠어."

그때 테오도르는 품에서 권총을 꺼내 들었다.

"너가 아픔에 대해 뭘 알아." 용병 역시 동시에 총을 꺼내 들었고, 서로의 총구가 나란히 마주봤다.

타인의 행복이 나의 우울일 때

쉽게 남들과 비교하게 되더라고요. 우리는 우리의 인생을 삽시다. 과거에 나를 아프게 했던 사람 혹시 기억 나나요? 가장 먼저 떠오르는 사람이 있을 수도 있고, 희미하게 떠오르는 사람들이 있을 수도 있습니다. 만약 그들이 성공한 인생을 살고 행복하게 살고 있다는 소식을 듣게 되면 어떤 기분이 들까요? 화가 나나요? 그럼 반대로, 그들이 실패한 인생을 살고 불행한 일을 겪고 있다면 어떤가요? 기분이 좋아질까요? 우리는 꽤나 자주, 남들과 비교합니다. SNS상의 행복해 보이는 사람들이 가장 눈에 띄고, 누군가의 행복을 현재의 나와 비교하며 우울해합니다. 굳이 비교해서 좋을 게 있나요? 누군가의 잘 나온 사진은 그 사람의 잘 맺혔던 열매 중 하나입니다. 단편적인 기억의 한 부분이죠, 하지만 우리가 매일 매 순간 그런 열매를 맺을 수 있나요? 삶은 대부분 평범하게 흘러갑니다. 며칠 전 저녁에 먹은 음식을 기억하나요? 한달 전에 심각하게 느끼던 그때의 고민이 어떤 고민이였는지 기억 나나요? 생각보다 우린 단조로운 일상을 보내고 있습니다. 그 하루하루 중, 특별한 일상인 한 부분이 사진 혹은 영상으로 남아 오랫동안 우리의 프로필 사진에 올라오거나 대화 속에 오고 갑니다. 흘러가는 시간 속에서 한때는 행복한 일이 넘치고 한때는 몹시 불행한 일이 쏟아지게 되어있습니다. 누군가의 아침과 본인의 밤을 비교하지 않았으면 좋겠습니다.

그럼에도 뒤쳐져 있다고 생각하는 나는

모두가 한날 한시에, 같은 곳에서 태어나지 않듯 우리의 인생 또한 같지 않습니다. 영화로 비유해 보자면, 모두의 인생을 2시간짜리 영화로 만들 수 있습니다. 그 중, 누군가는 영화 초반부 부터 끝내주게 멋진 삶을 살다 점점 식어갑니다. 또 어떤 영화는, 밑바닥부터 시작하는 주인공이 결국 후반부에 다다를 수록 빛이나는 삶을 살기 시작할 때도 있습니다. 누구나 다르며, 누구나 각자의 고충을 지니고 있습니다. 출발선이 같을 수 없으며, 도착지점 또한 같을 수 없습니다. 어느 지점에서 빛을 볼지는 지금의 자신이 품고 있으며, 여러분의 2시간짜리 영화에 아직 빛이 보이지 않았다면 곧 다가올 하이라이트에 대비할 용기와 마음가짐이 필요합니다.

나에게서 나를 배울 때

해골과 그 나비는 서로 사랑했다

⋮

"어찌 아무 말없이 그 자리에만 한 시진을 서 있을 수 있는 겁니까. 참으로 걱정이 되어 다시 찾아왔습니다."

그녀는 그제서야 다시 입을 열었다.

"스승님이십니까. 제가 말을 하지 않아도 이것들이 저에게 말을 걸어옵니다."

그녀는 주변을 가만히 둘러보았다. 푸릇푸릇한 정원이었다. 한 편으로는 관리가 제대로 되어있지 않아 울창하다고 표현할 수 있는 그런 정원이었다. 그 곳엔 작은 나비, 벌, 청설모, 각종 풀벌레들이 각자의 온도와 방식으로 소리를 내고 있었다.

"무엇이 말을 걸어온다고 하시는 겁니까. 이곳엔 아무도 없습니다. 그만 들어가시지요, 아직 폐병증이 다 낫지 않아 이런 곳에 오래 있기도 어려우실 겁니다."

그녀는 아랑곳하지 않고 다시 먼 곳을 바라보았다.

"아기씨, 이렇게 고집을 부려도 결국 의원이 없으면 아무런 의미가 없습니다. 대체 꿈에서 무얼 보셨길래 이렇게 고집불통이신 겁니까."

그날 그녀는 꿈에서 한 나비를 봤다고 한다.

"그 나비는 내면의 소리에 집중하라고 했습니다."

"내면의 소리요?"

"예, 그리하여 사람이 없는 이곳에 와서 집중하려 하였습니다. 그런데 제 내면의 소리보다 큰 소리들이 여기저기서 들려와 조언을 해 주더군요. 참 반가웠습니다."

"그래서 그들이 뭐라고 하던가요."

"내면의 소리에 집중하라 하였습니다."

그때 잠시 정적이 흘렀다.

"결국 같은 말이지 않습니까. 아기씨는 지금 몸이 좋지 않습니다, 그래서인지 몸이 신호를 보내고 있는 것 아니겠습니까."

"저는 제가 참 밉습니다."

"예?"

"한 나라의 공주가 고작 폐혈증 때문에 아무것도 하지 못 하고 있습니다, 이대로 제가 죽으면 저는 어떤 사람으로 남습니까. 전 무얼 남기고 떠납니까. 그 의미를 알고 싶었습니다.

"아기씨.."

"나비는, 무얼 말 하고싶었던 걸까요."

나는 잠시 망설였다가 생각을 정리한 뒤 다시 입을 열었다.

"사람이 항상 모든 걸 사랑할 수 없습니다."

공주는 몸을 돌리어 나를 쳐다보았다.

"가장 사랑하는 사람이 세상에서 가장 미운 사람이 되기도 합니다. 어제 먹던 음식이 오늘 싫어질 수 있습니다. 오늘 즐겨하던 대화가 내일은 하기 싫어질 수도 있습니다. 만물은 흐르듯이 그저 움직입니다."

"무슨 의미인가요."

"고정적으로 생각하지 않으셔도 된다는 말입니다. 하물며 자기 자신이야 오죽하겠습니까, 저 자신이 미울 수 있습니다. 하지만 좋을 수도 있습니다."

공주는 아무 말도 하지 않은 채 나를 바라만 봤다.

"나 자신이기에 누릴 수 있는 것들을 생각 해 보십시오, 다른 이 누구도 즐길 수 없는 것 들이요."

그때 바람이 불고 풀벌레 소리가 점점 커져갔다.

"내가 나 이기에 느낄 수 있는 것 들을 하나 둘 곱씹어보면, 어찌면 나 자신이 마음에 들 때도 있지 않겠습니까. 그런 마음가짐도 필요하다 생각합니다."
공주는 잠시 생각에 잠긴 듯 아래를 잠시 쳐다보다가 주위를 둘러보았다.
"나비가 참 아름답습니다."
"그런가요?"
"예, 스승님은 잘 모르십니까."
"그런 쪽에 관심이 있지는 않아서.."
"그럼 이 아름다움을 알아보는 제 눈이 참 마음에 듭니다."
"그렇다면 참 다행입니다. 그런 나비가 되도록 저도 노력 해야겠습니다."
공주는 슬며시 눈웃음을 보였다.
"이제 들어가시지요."
"그러지요."
긴 역사책의 뒷장엔 그 시절의 사진과 그림이 담겨있었다. 먼 훗날 그 터는 역사 깊은 대국으로 자리잡았고, 어디서 날아 들어온지 모를 노란 나비 한 마리가 공주의 유골 위에 앉아있었다.

내가 너무 미울 때는

내 주위의 것들을 생각 해보는 건 어떨까요? 내가 나 이기에 누릴 수 있는 모든 것들이요. 다들 알다시피 세상에 완벽한 것은 없습니다. 나 자신도 물론이죠. 세상 모든 게 아름다워 보일 수도 없습니다. 역시 나 자신도 물론이죠. 그렇기에 우리 삶이 참 굴곡지고 재밌는 것 아닐까요? 꽤나 괘씸한 말일 수 있겠지만 어쩌겠어요.
나 자신이 미울 때는 그때는 잠시 미워도 해 보세요. 어떻게 자신
이 항상 마음에 들겠습니까. 조그만 것 부터 시작해 볼까요? 내가
나 이기에 누릴 수 있는 가정, 친구들, 플레이 리스트, 맛집, 여행
지. 말고도 한번 생각 해 보세요. 참 많을 겁니다. 그것들을 한번
씩 되짚어 보면, 어쩌면 어느 한 부분이라도 나 자신이 마음에 들
점이 분명 있을 겁니다.

왜 나 자신에 만족하지 못할까?

우리는 항상 갈증을 느낍니다. 자신이 좀 더 완벽해졌으면 하죠.
내 기준에 맞는, 혹은 어떠한 존경할 만한 사람과 비교해 가면서
까지요. 여기서 하고싶은 말은, 그것은 당연히 건강한 사고라는
겁니다. 우리는 끊임없이 발전하고 부딪쳐야 성장하니까요. 그로
인해 성장의 기쁨을 느낍니다. 항상 그 자리에 있으면 어떨까요?
세상은 끊임없이 변화하는데 나 자신만은 항상 똑같습니다. 항상
옛날 얘기만 꺼내고, 과거의 틀 안에서만 생각하는 나이만 먹은
답답한 어른처럼요. 조금 생각을 틀어보면 어떨까요? 이 모든 게
성장통인 거죠. 계속해서 나를 가꿔가는 모습은 보기 참 좋습니다.
물은 고이면 썩는 법이니까요. 하지만 뭐든 정도를 지나치면 나를
갉아먹는다는 것도 알아야 해요. 나는 계속해서 성장할 존재입니
다. 벌써 완벽할 수도, 완벽할 필요도 없죠. 앞으로 더 많은 경험
을 하게 될 거니까요. 현재에 만족하지는 마세요. 하지만 내 한계
는 끊임없이 파악해야 합니다. 자기 자신을 알아야 더욱 건강한
성장이 가능한 것이죠.

이 밤에 탱고를 추면

⋮

꽤나 망가진 그 안드로이드를 집어든 건 다름아닌 지수였다.
"이거, 내가 써도 될 것 같은데?"
"그 말도 못 할 것 같이 생긴 안드로이드를 어디다 써먹게?"
"분명 써먹을 데가 있을 거야. 애를 보니까 뭔가 끌렸어."
세희는 그런 지수를 이해하지 못했다. 대체 어디에 쓸 지도 모르겠는 고물을 자꾸 모으기만 하니 오히려 답답할 지경이었다.
"세희야, 이 CD 플레이어도 챙기자."
"뭐? 그런 고물은 대체 어디서 찾아내는 거야? CD라니 우리 할아버지가 어렸을 때나 쓰던 거 아니야?"
"안에 CD도 들어있어!"
지수는 세희의 말이 안 들릴 정도로 이미 플레이어에 꽂혀 있었다.
"지수!"
열중해있던 지수는 깜짝 놀라 돌아봤다.
"곧 경비 안드로이드가 나타날 거야, 빨리 챙겨서 가자."
"알겠어 이것만 좀 도와줘."
어찌어찌 굴러가는 경차에 안드로이드와 세희가 주워 온 컴퓨터 부품을 욱여넣고, 지수는 CD플레이어를 꼭 끌어안은 채 집으로 향했다. 가는 길은 조금 덜컹거렸지만 조용했고, 남색 빛의 하늘이 검정색으로 물들어 갈 즈음 지수가 먼저 입을 열었다.
"어머니가 춤을 참 좋아하셨어."
"너희 어머니가?"

"응. 그중에서는 탱고를 좋아하셨는데 아버지가 돌아가시고 나서 같이 출 사람이 없으니 아쉬워 하셨어."

"너는?"

"난 그때가 여덟 살이었어. 같이 춰 드리고 싶었는데 몸이 말썽이었지. 그래서 내가 좀 더 크면 같이 추면서 놀기로 했어. 그게 마지막 약속이었고 우리 둘의 꿈이었어."

세희는 가만히 듣고 있다가 물었다.

"그게 너의 꿈이야? 지금은 출 수 있어?"

"지금은 할 수 있지. 근데 지금의 꿈은 이 타운에 불을 붙이는 거야."

"무슨 뜻이야?"

"곧 도시 재정비 투표가 시작되잖아?"

"그치."

"이 도시는 너무 어두워, 아무도 재정비 계획에 나서지 않아. 내가 앞장설 생각이야. 너는 꿈이 있어?"

지수가 되물었다.

"나는...잘 모르겠어, 예전엔 많았던 것 같은데."

"뭐 그럴 수 있지, 꿈은 늘 바뀌잖아."

곧 주택가가 보였다.

"이 안드로이드는 또 창고에 넣을 거야?"

차고 문을 닫으며 세희가 물었다.

"좀 살펴보고."

지수는 안드로이드를 이리저리 살펴보더니 주머니에서 메모리 패치를 꺼냈다.

"대체 그건 뭔데 항상 여기저기 대 보는 거야?"

"어머니의 메모리 패치. 꿈에 대한 기억이 남아있어."

그때 안드로이드의 손등에서 녹색 불이 들어왔다.

"찾았다! 역시 구식 안드로이드는 맞을 것 같았어. 잠시만 기다려!"

지수는 뭐가 그리 급한지 본인의 방 까지 달려갔다 오는데 30초가 채 걸리지 않았다.

"CD?그건 또 어디 있었던 거야?"

세희가 물었다.

"내 방 어딘가에!"

지수는 가져온 CD를 아까 주워온 플레이어에 끼웠다.

"건전지도 들어있으니까 바로 나올 거야."

플레이어는 잠시 지직 거리더니 시작부터 강렬한 반도네온의 소리가 들려왔다.

"이거 탱고음악이야?"

라는 세희의 말이 끝나자 마자 안드로이드가 움직이기 시작했다. 조금 삐걱거리더니 점점 움직임이 자연스러워졌고, 어머니의 춤선이 살아있는 그 안드로이드를 잡고 지수는 울먹거리는 얼굴로 말했다.

"응 맞아! 그때의 꿈이 생생해."

아름다웠다. 그저 구식 플레이어로 음악을 틀고 싸구려 안드로이드와 춤을 출 뿐이었는데 아름다워 보였다. 그냥 춤이 아닌 지수의 꿈이었기에 그럴지도 모르겠다. 둘의 합이 맞는 움직임에 세희는 그저 바라보기만 했고, 음악은 그리 길지 않았다. 음악이 끝남과 동시에 둘은 그 자리에 멈춰 섰으며, 지수의 눈물도 거기까지였다.

"이런 거였구나...궁금했어, 어릴 적 내 꿈의 모습은 어땠을지."

플레이어에서 틱 하는 소리가 나더니 다음 음악이 재생되었다.

꿈을 꾼다는 것은 어떤 것일까?

세상을 살아가는 하나의 수단이지 않을까요? 꿈이 있다면 어떤 면에서는 커다란 원동력이 되기도 합니다. 우리는 살아가면서 몇 가지의 꿈을 가질까요? 아마 셀 수 없을 겁니다. 한편으로, 꿈을 직업으로는 정의할 수 없습니다. 그저 막연하게 내가 원하는 이상적인 모습인 것이죠. 어느 하나에 국한되지 않은 자유로운 희망으로 볼 수도 있습니다. 지수는 어머니와 함께 탱고를 추는 것이 어릴 적의 꿈이었습니다. 어떤 이에게는 소박하게 보일지도 모르겠지만 그녀에게는 세상을 살아가는데 하나의 원동력이었을 겁니다. 또한 꿈은 항상 바뀌기 마련입니다. 세상을 보는 관점에 따라서 혹은 기분에 따라, 아니면 환경에 따라서 일지도 모르죠. 자신을 더욱 단단하게 만들 수 있는 방법 중 하나는 꿈을 갖는 것입니다. 그 어떤 소박한 꿈이라도 좇아 보는 건 어떨까요? 항상 꿈을 이야기하는 사람들은 아름답습니다. 꿈을 그릴때의 그 눈빛은 다른 그 어떤 걸로도 얻을 수 없는 것이니까요.

꿈을 꼭 가져야 할까?

꼭 그러리란 법은 없습니다. 누군가는 꿈이 아름답다고 합니다. 나만 이 아름다움을 느낄 수 없다며 이 좋은 걸 왜 가지지 않냐고 비난하거나 강요하기도 하죠. 하지만 그 누구도 다른 이의 의지나 야망을 저울질할 권리는 없습니다. 그저 선택의 한 종류입니다. 꿈이란 허황된 걸 좇는 미련한 것이라 여기는 사람 또한 있기 마련이고요. 누구는 삶의 의미를 찾기 위해 꿈을 꾼다고도 하지만, 꼭 삶의 의미를 꿈에서만 찾을 이유 또한 없죠. 각자 자신의 삶을 영위할 선택권을 가지고 있고, 그 선택을 존중할 줄도 알아야 합니다.

새로운 시도가 두려운 게 당연한가?

당연하냐 당연하지 않냐를 정의하긴 어렵습니다. 누구나 처음 도전해 보는 것에 두려움을 느낄 때가 한번쯤은 있기 때문이죠. 하지만 무얼 시도해 보든 그 시도 자체 만으로도 용기와 경험이 남게 됩니다. 우리는 살아오면서 늘 새로운 시도를 해 왔습니다. 처음으로 학교를 두 발로 걸어가보고 처음으로 사랑에 깊이 빠져봤습니다. 또한 처음으로 멀리 해외여행을 가 보기도 하고, 어려운 시험에 도전하기도 합니다. 그 수많은 시도들이 각각의 경험으로 남아 자기 자신을 이루고 있는 것이며, 본인의 두터운 가치관을 세우는데 큰 힘이 되었을 터입니다. 시도를 하게 되면 분명 실패를 경험할 때가 있을 것이며, 그 실패를 통해서 우리는 사고의 깊이와 폭을 넓혀왔습니다. 그로 인해 더욱 넓은 시야를 갖게 되고, 다시 일어날 수 있는 방법을 배웁니다. 실제로 저의 좌우명은 '해보고 후회하자' 입니다. 시도하지 않으면 후회만 남고, 시도라도 해 보면 설령 후회할 지라도 용기와 경험이 남기 때문입니다. 그 소중한 경험들을 차곡히 쌓아, 자신을 더 자신 답게 만드는 게 중요합니다.

정원사가 저주를 걸어놨어

:·:

"내가 밤 늦게 소리가 나는 걸 들었다니까?!"

"어르신, 일단 확실한 증거가 나오지 않아서 어떻게 저희도 더 도움을 드릴 수 있는 게 없어요."

"증거? 내가 증거라니까?? 이것들이 일 처리를 이따위로 하면서 경찰이라고 할 수 있는 거야?"

"이곳엔 CCTV도 없고 그 때 당시엔 폭풍이 불었잖아요. 충분히 잘못 들으셨을 가능성도 있지 않습니까?"

"내가 다 늙었다고 우스운 거야? 내가 똑똑히 들었다니까?!" 이른 아침부터 페인우드 끝자락에 있는 커다란 농장마을에 불미스러운 일이 일어났다는 신고가 들어왔다. 그중 가장 영향력 있는 농장주 레너드는 폭풍이 일던 밤, 자택 정원에서 이상한 소리를 들었다고 했는데, 아침이 되니 정원 한 가운데가 크게 움푹 파여 있었으며 그 주변의 식물과 농작물들이 다 죽어 있었다는 애기였다.

"내가 볼 때 정원사가 우리 정원에 저주를 건 게 분명해!"

"어르신, 저주라니요. 그건 분명 번개가 내리쳐서 그랬을 겁니다." 그러자 레너드는 점점 격양되는 목소리로 소리치기 시작했다.

"당신이 뭘 알아! 번개 소리가 아니었다니까?"

"정원사분은 그 때 폭풍이 심해, 집에 있었다는 진술이 있었습니다. 옆에 있던 아내분이 그 증인이고요. 주변 이웃분들도 그 날씨에 사람이 돌아다니는 건 본 적이 없다고 하더군요."

"그놈이 거짓말을 친 거겠지."

"우선은 저희가 상황이 파악 되는대로 다시 찾아 뵙겠습니다."

레너드는 미간을 한껏 찌푸린 채 경찰들이 돌아가는 모습을 바라보더니 이내 집으로 돌아갔다. 사건을 맡은 딜런은 그저 답답할 심경이었다. 워낙 정원사와의 관계가 안 좋다는 걸 알고 있기에 레너드가 더욱 고집을 부리는 것일 수도 있어, 더욱 생각이 많아졌다.

"선배님, 알아보니 그 정원사분은 이미 은퇴하신 유명한 식물학자라고 하네요."

옆에서 후배가 말을 걸어왔다.

"맞아, 그래서인지 무슨 약물을 사용해서 저주를 걸었다나 뭐라나...답답하네."

그때 문을 두드리는 소리가 났다.

"아, 마침 정원사분이 오셨네요."

"안녕하세요.."

그는 큰 죄라도 짓고 온 듯이 양손을 곱게 모으며 어쩔 줄 몰라 하고 있었다.

"일단 여기 앉으시죠."

"예..."

"레너드씨가 뭐라고 했나요?"

정원사는 우물쭈물 하며 쉽게 입을 떼지 못 하고 있었다.

"편하게 얘기하셔도 됩니다. 죄가 있어서 부른 게 아니에요."

"사실..폭풍이 일던 전날에 제가 실수로 제초제를 엎지르고 말았습니다. 그 때문에 식물들이 다 죽은 게 아닌지..."

"양이 많았나요?"

"그렇게 많지는 않았습니다.."

"그건 그렇다 쳐도 움푹 파인 구멍은 정원사님이 아니실 것 같은데."

"일단 사과는 하고 왔습니다."

"사과요?"

"예...레너드씨가 피해 보상금을 요구하더군요."

"아직 문제가 끝난 것도 아닌데 미리 고개를 숙이시면 어떡합니까.."

정원사의 고개는 점점 아래로 향했다.

"그래도 아직 마무리되지 않았으니 천천히 해결해 봅시다."

"알겠습니다."

"정원사님, 우린 무시 받지 않을 권리가 있습니다. 그렇게 항상 사과만 하실 필요는 없어요."

"하지만.."

"모든 책임이 당신을 향하고 있지는 않잖아요."

그때 옆에 있던 후배는 짐을 챙기기 시작했다.

"선배님 저는 현장 주변을 좀 조사하고 오겠습니다."

"그래, 뭐 찾은 거 있으면 얘기하고."

"옙."

"제가 뭘 잘못한 걸까요.."

정원사는 뭔가 불안한지 자신의 허벅지를 수 차례 쓸어내리며 말했다.

"정원사님, 아직 그렇게 말씀하시긴 이릅니다. 조금 더 자신을 살피세요. 자기 자신을 존중할 줄 알아야 합니다."

정원사는 손을 멈추고 딜런을 바라봤다.

"레너드씨가 자주 잘못된 표현을 하는 건 충분히 알고 있습니다. 본인에게 잘못이 있다고 해도 상대의 무례한 태도까지 본인이 짊어질 필요는 없다는 거죠. 그런 태도에서 본인을 방어할 줄도 아셔야 할 겁니다."

그때 무전기에서 후배의 목소리가 들려왔다.

"선배님 이것 좀 보셔야겠는데요?"

레너드의 농장과 그리 먼 거리가 아니었기에 정원사와 딜런은 금새 도착할 수 있었다.

"보시다시피 저 언덕 위에 주차장이 있어요. 그날 주차되어 있던 차에서 블랙박스 영상을 확보했습니다."
"어디 한번 봅시다."
영상에서는 분명히 작은 번개 줄기 여러개가 정원의 정 중앙에 떨어진 모습이 담겨있었다.
"역시 번개가 맞았네요, 레너드씨를 만나봐야겠어요."

모든 걸 짊어질 필요는 없다

혹시 항상 머리를 숙이고 다니지는 않나요? 정원사는 과거 유명한 식물학자로서, 그의 업적과 새로운 발견들은 그에게 부와 명예를 가져다 주었습니다. 레너드 역시 커다란 땅을 가진 재력가입니다, 욕심이 참 많지요. 은퇴 후, 정원사 일을 해 보고싶었던 과학자는 커다란 농장마을에 있는 저택에서 일을 하기로 했습니다. 어찌되었든 고용주였던 레너드는 욕심이 많은 사람이기에, 정원사의 재력 역시 빼앗고 싶어했죠. 그 사이에서 많은 실랑이가 생깁니다. 다툼을 싫어하는 정원사는 항상 먼저 사과하는 편이었고요. 그 결과 어떻게 되었나요? 정원사를 만만하게 본 레너드는 끝까지 그를 범인으로 몰아세웁니다. 결국 정원사의 낮아진 자존감이 자기 자신을 갉아먹었죠. 우리의 마음 또한 마찬가지입니다. 움츠려들 수록 나를 점점 작아지게 만들게 됩니다. 누구나 다툼은 피하고 싶어하지만 그렇다고 저자세로 있을 필요는 없습니다. 우리에게 무시 받을 권리는 없거든요. 항상 태도가 우리의 이미지를 만듭니다. 나의 저자세는 자연스럽게 갑을 관계를 형성시키고, 그에 대한 책임 역시 내가 짊어져야 하죠. 상대를 배려하는 마음이 깊어, 나를 낮추는 것으로 상대를 위할 수 있지만, 반복되는 사과는 우리의 심리에도 큰 영향을 미칩니다. 자존감과 자신감이 사치로 여겨지기 십상이죠. 지나친 배려 또한 좋은 것은 아닙니다. 내가 너무 배려만 하며 살아가는 것 같다면, 가끔은 이기적이게 행동할 때도 필요합니다. 모두와 더불어 살아가는 것도 중요하지만 가장 먼저 챙겨야 할 사람은 다름아닌 나 자신이니까요.

모든 게 내 잘못 같으면 어떻게 할까요?

우선 객관적으로 상황을 바라봐야 합니다. 우리의 인생은 수 많은 인과관계로 엮여 있고, 벌어진 상황 또한 여러 관계로 나뉘어져 있을 겁니다. 사건이 일어나고, 본인의 잘못이 명백하다면 그에 대한 부분을 책임지면 됩니다. 그 이상의 책임을 요구한다면 꼭 그럴 필요가 있는지 확인해볼 필요가 있습니다. 필요 이상으로 자신을 낮춰 보일 필요가 없다는 말입니다.

달뜬 기분에

∴

알토는 찬 물이 베어 축축해져, 중간중간 찢어져 있는 그 일기를
집어 들었다.

-5월 17일- 해가 쨍쨍한 날이야. 이날은 내가 처음 아란티오의
문을 열기 시작한 날이지. 수몰된 문명이라는 타이틀에 걸맞게 꽤
나 축축한 하루였지 뭐야. 처음엔 들뜬 마음으로 들어왔어. 그 어
떤 고고학자도 찾아내지 못한 고대문명을 내 손으로 찾아내게 될
줄이야.. 마치 세상을 다 가진 것 같았지. 사라진 내 10년을 되찾
을 기회이기도 했어. 하지만⋯   ⋯믿지는⋯   ⋯나는 그
날 죽으려 했기 때문이지⋯
         ⋯아직⋯   ⋯그날 아란티오의 도심으로 향하는 입구에
뭐가 있었는 줄 알아? 눈대중으로만 봐도 약 300구가 넘는 유골
이 배수로에 쌓여 있었어⋯   ⋯아무리⋯
         ⋯물을 이용한 수압식 함정이라니..예언지에 적혀있던
그대로였어. 그곳에 무슨 일이 일어났는지는 이제서야 이해했지
만 그 순간은 얼마나 오싹했는지 알아? 그렇게 나는 망가진 함정
들을 제치고 당당하게 안으로 들어갔어. 정문으로 들어가는⋯

-5월 19일- 오늘은 날이 좀 흐렸어. 그 넓은 방 안에서 처음으로
보물을 발견했어. 조금의 금화와 사파이어로 만든 스카라브였는
데 그땐 왜 이 모양을 본떠 만들었는지는 몰랐어. 아마 이 날은 전
날에 찾았던 경사로를 통해서 아란티오의 소도시들로 향했을⋯

…거기서 본 것들은 너에게만 말해줄게. 우선은 닿기만 하면 그 사람의 모든 소망을 이뤄주는 전사상 이었어…   …처음 봤을 때…   …아직도 그 자리에 가만히 있어. 그곳에 두고왔거든. 분명히…   …였지 않았을까? 이 잡념이 뒤엉킨 밤에, 가득한 별그늘을 너에게 남겨줄게.

-5월20일- 마지막 날이야. 저 위에 동그란 달이 떴어. 달뜬 기분에 내가 나에게 이 편지를 적어. 얼마 안 있었지만 꼭 한 달은 지난…   …오늘 마지막으로 한번만 더 시도해 보려고. 이제는…   …처음의 모습 그대로를 잃지 않았으면 해. 닳아 없어진 것처럼 무뎌져도, 무너져도.

더이상의 글은 제대로 읽을 수 없을 정도로 훼손되어 있었고, 그대로 일기를 내려놨다. 알토는 이 팀에 들어올 때부터 항상 웃음을 잃지 않았다. 물론, 모두가 소년을 배척하기 전 까지는 말이다.
"알토 이새끼 또 혼자서 뭘 숨기는 거야?"
저 멀리서부터 혐오가 섞인 목소리가 들려왔다. 일기는 얼른 주머니에 구겨 넣고 또 다시 알토는 재빨리 그 방을 벗어났지만
"알토, 존이 그러는데 너가 또 뭘 독차지 했다더군. 그게 대체 뭐야?"
여기저기서 알토를 압박하는 말이 쏟아졌다.
"저새끼 맨날 실수만 하고 할 줄 아는 것도 없으면서 뭘 또 축냈다고?"
그때 작업장 저편에서 수문이 열리는 소리가 났다.
"이봐! 드디어 열렸어!"
'콰광' 하는 커다란 소리에 다들 알토는 제쳐두고 수문으로 향했다. 그렇게 소란스러운 하루가 또 흘렀고, 수문은 겨우 열렸지만 아직 진전이 없는 탓에 팀은 다시 분열이 일어나기 시작했다. 물론 그 중 가장 만만한 건 알토였기에 크고 작은 비난은 알토에게

쏟아졌으며, 소년은 점점 미쳐가는 것만 같았다. 그렇게 매일 같은 작업장을 오가던 중, 그날 미처 발견하지 못했던 일기조각이 바위에 널려 있었다.

-5월18일- 오늘도 쨍쨍…   …꼭 수중 정원에 들어와 있는 기분이었어. 그 아틀란티스 알지? 그런 느낌도 좀 나는 것 같기도 하고..아무튼 이 문양이 열쇠가 맞는 것 같…   …자기 자신을 믿어야 해. 이 문양은 내면의 깊은 부분을 보거든…
      …그때처럼 강 속에…   …분명…   …진실된…

종이 상단엔 어딘가 익숙한 문양이 그려져 있었고, 목에 걸려져 있는 펜던트를 번갈아 보더니 소년은 이내 강 속으로 뛰어들었다. 그렇게 수 시간이 흐른 뒤, '투둑' 저 멀리서 돌가루가 떨어지는 소리가 울렸다. 소년은 잠깐 고개를 돌렸다가 다시 문양에 집중했다. 들고있던 일기와 문양을 한참 번갈아 가며 보다가, 한숨을 내쉬었다.
"아무리 봐도 이거랑 다른 문양 같은데..입구를 잘못 찾았나?"
하고 고개를 올린 순간, 익숙한 문양이 저 멀리 태양빛이 들어오는 구멍 아래 보였고, 알토는 들뜬 마음에 얼른 가까이 발걸음을 옮겼다. 그곳엔 은은한 허브향을 머금은 물이 한 방울 씩 떨어지고 있었다.

내가 나를 믿는 법

가장 중요한 건, 내가 나와 있을 때 편안하도록 하는 것입니다. 보통 자존감이 낮아지면 나 자신을 계속 의심하게 되고, 남들의 의견에 쉽게 휘말립니다. 그렇게 의심이 지속되면 행동이 제한됩니다. 내가 하려는 모든 것들에 의심이 가기 때문이죠. 가끔은 자기중심적으로 살 때도 필요합니다. 세상이 나를 중심으로 돌아가지는 않지만, 내 인생은 나를 중심으로 돌아갑니다. 내 행동 하나하나가 쌓이며 주변은 물론이거니와 나 자신에게도 큰 영향을 미칩니다. 내가 나 자신으로 있을 때 비로소 나의 모습이 보이는 거죠. 작은 습관을 둘러보는 건 어떨까요? 나만이 가진 작은 습관들이요. 그 작은 습관들이 모여서 내 삶의 균형을 이루고, 개성을 확립시킵니다. 그 작은 패턴들이 촘촘히 엮여, 나만의 문양을 만드는 거죠. 내가 내 습관에 익숙해지고, 나를 점점 믿기 시작하면 비로소 주변의 것들이 눈에 보일 겁니다. 나를 믿을 수 있어야 남을 믿을 수 있고, 나를 사랑할 수 있어야 남을 사랑할 수 있는 겁니다.

자존감이 낮아진 사람을 위해

내가 실수했을 때 혼나는 걸 덤덤하게 인정하고 받아드리는 자세가 필요합니다. 그런데 자존감이 낮은 사람들은 주로
"나는 왜 이런 거 하나 제대로 못 하지?"
"나 진짜 멍청하네"
"또 실수 했어? 난 답이 없네 그냥."
이런 식의 자기비하를 자주 하게 되죠. 사실 우린 이미 혼날 만큼 많이 혼났습니다. 그런데 나까지 나를 혼낼 필요가 있나요? 세상에 내 편 하나 없으면 그것 나름 참 억울하지 않을까요? 나라도 나 자신을 좀 토닥여 주는 게 좋을 것 같네요. 깊은 감정이 생겼을 때엔 그 순간에서 빠르게 넘어가는 것이 가장 좋습니다. 예를 들어, 누군가의 앞에서 멋있게 롱보드를 타는 모습을 보여주려고 한다

고 합시다. 역시나 멋있게 잘 타는 모습을 보여주다가 순간 휘청할 때가 있었습니다. 보통 자존감이 높은 사람들은 '아, 실수했네. 조금 창피하네. 부끄럽네.' 라고 생각하고 그 상황을 넘깁니다. 그 순간의 감정을 최소한으로 느낀 채, 그냥 그랬구나 하고 넘기는 겁니다. 그 상황에서 부정적인 감정들이 추가되면 어떨까요? 아마 그 이후로는 '또 실수하지 않을까?' 혹은 '이상하게 생각하면 어떡하지?' 등의 생각들이 가득 차, 앞으로의 상황에 제대로 집중하지 못할 겁니다. 불안의 연속인 거죠. 우선은 더이상의 감정들이 달라붙지 않도록 빠르게 사고하고 넘어가는 습관이 필요합니다.

종이칼에 찔려버렸어

...

그 칼 끝은 리지의 배에 놓여있었다.

"으악! 종이칼에 찔려버렸어!"

그녀는 입에 머금고 있던 토마토 주스를 주르륵 흘리며 말했다.

"크큭"

앞에 있던 다이애나가 웃었다.

"리지! 빨리 창문 가려! 놈들이야!"

그때 주방에 있던 큰언니가 다급하게 리지를 불렀다.

"벌써?"

둘은 황급히 커튼을 치고 틈새 여기저기에 신문지 조각을 끼워 넣었다.

"다이애나, 이번엔 또 숨바꼭질이야. 빨리 숨어! 10초 셀게!"

"뭐? 너무 짧잖아!"

일곱살인 다이애나는 갑작스러운 숨바꼭질에 허겁지겁 창고 방으로 달려갔다. 시간이 조금 지났나, 바깥에서 그르렁 하는 울음소리와 신음소리가 사방에서 들려왔다. 창문을 두드리는 소리와 사람이 뜯기는 소리, 뭐 그런 것들이다. 큰언니는 한 손에 식칼을 집어 들었고 모두가 숨을 죽였으며 한동안 정적이 흘렀다. 조금 시간이 지나고 밖은 더이상 시끄럽지 않았다. 이후 리지가 다이애나를 찾았고, 그렇게 숨막히는 몇 년이 지났다.

"언니."

"왜?"

다이애나가 리지를 불렀다.

"나는 왜 밖에 못 나가는지 이제 알려주면 안돼?"

그 말을 들은 리지는 아무 말도 하지 않았다.

"내가 너무 어려서? 나 그래도 언니들이 시키는 건 다 할 줄 알아. 이제 어린애 취급하지 마."

그새 조금 키가 컸는지 겨우 눈높이가 맞는 다이애나를 리지는 차가운 눈빛으로 바라봤다.

"다이애나, 분명 때가 되면 알려주겠다고 했잖아. 그만 좀 보챘으면 좋겠네."

"이제 그만해, 나도 지쳤단 말이야. 큰언니는 또 왜 안 돌아오는 거야?"

"다이애나..."

"내가 찾으러 가겠어. 사거리에 식료품점이라고 했지?"

리지는 그대로 집 밖으로 나가려 하는 다이애나의 손목을 붙잡았다.

"다이애나!"

"그만 해!!"

다이애나는 잡힌 손을 뿌리치고는 리지를 쳐다봤다.

"언니..?"

그때 리지의 눈가에서 눈물이 주륵 흘러내렸다.

"큰언니는.. 내가 찾으러 가 볼게..."

마치 무언가를 체념한듯 양 손을 떨며 문을 열고 나가는 리지를 다이애나는 말릴 수 없었다. 그저 바라만 보다가 문이 닫혔다. 기다리는 그 시간은 다이애나에겐 살면서 가장 길고 답답한 시간이었고, 리지는 저녁이 되어서야 집에 돌아왔다.

"언니, 큰언니는?"

리지는 들고있던 식칼 한 자루를 신발장 위에 올려 두고 다리에 힘이 풀려 털썩 쓰러져 울기 시작했다.

"언니! 무슨 일이야!"

흐느끼며 우는 리지를 방으로 옮기기까지 꽤 많은 시간이 걸렸다. 지쳐서 잠든 리지를 바라보던 다이애나는 이내 자고 있는 그녀의 품으로 파고들었다. 밤공기는 메말랐지만 그 곳 모든 장소에 그녀의 눈물이 있었다. 시간이 조금 흘러 다이애나는 어느새 훌쩍 자라, 리지의 눈높이를 벗어났다. 큰언니와 밖에 대해서는 더이상 묻지 않았고, 창고 방에서 구식 라디오를 꺼내온 그날은 왠지 리지의 기분이 좋아 보였다.

"언니 그거 작동 안 하는 거 아니었어?"

"저번달에 구해온 건전지를 새로 끼웠어."

그러더니 리지는 무언가 결심한 듯 말했다.

"우리 밖으로 나갈 거야."

잠깐 정적이 흘렀다.

"응? 무슨 소리야? 밖이라니?"

리지의 입에서는 절대 나오지 않던 말에 다이애나는 적잖이 당황했다.

"온실 밖으로..나갈 시간이야, 다이애나."

그러더니 그 자리에서 라디오를 틀었고, 라디오에선 치직 하는소리가 점점 목소리로 변해갔다.

"치칙...생즈..치칙..생존자 여러분은…치직..가까이에 안전구역 마크가 그려져 있는 학교 건물로 대피하시길 바랍니다. 오래 기다리셨습니다. 부디 안전한 대피로를 확보하시길 바라겠습니다. 3일 후 구조 헬기가 도착합니다. 침착하게 대피하시며, 저희는 여러분의 생존을 기원합니다."

그렇게 라디오에서는 같은 말을 반복하고 있었고, 리지는 그새 준비해둔 두툼한 백팩 하나를 다이애나에게 건네며 말했다.

"가자, 밖으로."

문을 열고 나가니 긴 통로가 집과 밖을 연결하고 있었고, 통로 끝으로 갈 수록 악취가 심해졌다. 그 끝엔 휘어진 철창 문이 보였으며 그 밖엔 그리 대단한 건 없었다. 죽은 사람과 무너진 도시, 걸

어 다니는 시체 정도였다. 리지는 한 손에는 식칼을 꽉 움켜 쥐었
으며, 다른 한 손에는 다이애나의 손을 꽉 잡고 있었다.
"저 앞 사거리에 식료품점을 지나가야 해. 손 꽉 잡고 있어."
리지가 말했다.

어른이란 말에 책임감이 따르기에

내가 벌인 일에 대해 스스로 책임을 져야 할 때가 왔을 때, 보통
주변에서는 어른이 되었다고 합니다. 어떤 의미인지 아시나요? 우
선, 우리가 태어나서 약 1000주가 넘는 시간을 성장기로 보냅니
다. 그 시간 동안은 행동의 의한 책임에서 꽤나 자유롭죠. 그건,
우리가 사고를 치고 잘못된 선택을 했을 때 옆에서 바로잡아줄 어
른이 있기 때문입니다. 하지만 그런 든든한 기둥이 없다면 어떡할
까요? 남들보다 일찍 철이 들 수도 있고, 혹은 더 안 좋은 길로 빠
지기 쉽기도 하겠죠. 우린 그런 시간을 거쳐가며 성숙한 어른이
됩니다. 적어도 이론적으로는 말이죠. 이제 막 열여섯과 열여덟
살이 된 언니들은 다이애나라는 큰 책임을 떠안게 됩니다. 보통은
아직 어른들의 울타리 안에 있을 나이 임에도 불구하고 말이죠.
이들은 책임을 회피하지 않았습니다. 각자의 몫을 짊어졌죠. 본인
들이 해야 하는 일을 빨리 파악하고 실행에 옮길 행동력을 가졌을
겁니다. 다행이도 안 좋은 길로는 빠지지 않았네요. 물론 배워가
는 과정입니다. 그 과정이 순탄하지만은 않았습니다. 큰 어려움이
계속해서 들이닥쳤죠. 책임의 무게는 꽤나 무겁습니다. 그 무게를
꿋꿋이 지탱하고 나아갈 수 있는 힘을 느낀 순간, 우린 어른이 되
었다고 생각할 겁니다. 때문에 리지는 성장했습니다. 앞으로도 많

은 것이 낯설겠지만, 극복해 나갈 겁니다.

남아있는 시간은 어떻게 보내야 할까?

그렇게 어른이라 불리는 무언가가 된 우리는 앞으로 어떻게 시간을 보내야 할까요? 혹시 하고싶은 일이 있나요? 혹은 만나고 싶은 사람이 있을 수도 있습니다. 아마 바쁘게 살고 있다면 하거나 만나지 못 할 수도 있죠. 뭐가 중요하고 우선시해야 하는지는 여러분이 정합니다. 각자가 처해진 상황과 추구하는 가치가 다르기 때문이죠. 그런데 말이에요, 이렇게 생각하고 있는 동안에도 시간은 흐르고 있습니다. 너무 깊은 고민은 행동을 제한합니다. 겁을 먹기 때문이고, 이런저런 핑계를 찾기 충분한 시간이기 때문입니다. 중요한 건, 가끔은 생각을 멈추고 결단을 내려야 한다는 거죠. 우리가 성장해 오는 동안, 생각보다 많은 시간을 보냈습니다. 이제는, 우리가 우리의 삶을 책임질 때가 온 거예요. 우린 이미 충분히 경험해 나가고 있습니다. 가끔은 나에게서 나를 배울 때도 필요합니다.

파도가 조금 높네?

· ·
·
· ·

"27번 손님~주문하신 음료 나왔습니다!"
미나가와는 자리에서 일어나려다 순간 발이 의자 다리에 걸려 넘어졌다.
"야 그렇게 급할 건 아닌데?"
옆에 있던 사토가 말했다.
"내가 가져올게 넌 부러진 다리나 잘 챙기고 있어."
"부러지지는 않았거든?"
미나가와는 가게 안이 한산해서 그나마 다행이라고 생각했다. 밝아지는 창 밖을 바라보니 해변가를 걷는 사람들이 꽤 보였다.
"많이 따뜻해졌지? 꽤 걸어 다니는 것 같은데."
음료를 가져오며 사토가 말했다.
"우리도 이따 좀 걸을까?"
"좋네~바다여도 이제 춥지는 않겠다. 또 넘어지지는 말고."
미나가와는 그 말을 무시하고는 가만히 또 창밖을 바라봤다.
"전 여친 생각하는 건 아니지? 걘 안 돌아올 거라니까?"
"아니야..그냥, 모르겠어 그 아이 때문인지 뭐 때문인지 그냥 마음이 심란해 요즘."
"너부터 생각해 바보야. 너 일도 많지 않아?"
"그치. 정신이 없긴 한데 그래도 오늘 같은 날이 있어서 다행이야. 3일을 쉰다니, 근 반년 동안은 생각지도 못한 날이지."
둘은 차가운 커피를 호로록 삼켰다.

"나는 나를 잘 알아."

사토가 말했다.

"그렇기 때문에 내가 이 커피를 마시면 기분이 좋아진다는 것도 알지."

"무슨 뜻이야?"

"너가 좋아하는 걸 하란 말이야. 그러다 보면 너에게 더 집중할 수 있지 않을까? 그 바보 같은 미련이랑 완벽주의를 좀 옆으로 치워야 속이 트일 것 같은데."

미나가와는 그 말을 듣고 한숨을 푹 내쉬었다.

"맞는 말이야, 너무 상대방만 생각하는 삶을 살았어."

미나가와는 커피를 여러 번 홀짝였다.

"그리고 나도 커피가 참 좋아, 기분이 좋아지거든."

"또 좋은 일이 생길 거야 걸려 넘어지는 일 보단 훨씬 좋은 일이."

놀릴 거리가 하나 더 늘어난 사토의 입꼬리가 귀에 걸리기 직전이었다. "

"한편으로는 내가 나일 때 헤어져서 다행이라고 생각해."

"너가 너일 때?"

"내가 그래도 나다운 모습으로 끝났잖아, 더 추해기기 전에 말이지."

"그것도 그렇네. 인연이라면 어떡해서든 지독하게 또 닿을 거야, 편하게 생각해. 그리고 커피 한 잔 더는 어때?"

"난 찬성."

둘은 커피 두 잔을 더 주문하고 옆에 있는 창문을 열었다. 시원한 아침공기가 따뜻한 카페를 식혀갔다.

"그래서 유럽은? 갈 거야?"

입고있던 겉옷을 의자에 걸치며 사토가 말했다.

"음..역시 미루기로 했어. 퇴사까지도 얼마 안 남았고, 여기서 해야 할 일은 다 끝내고 가려고. 아직 할 게 많아."

"학술회는?"

"노드 학술회도 곧이야. 키노시타 교수님이 같이 참여하시거든 워낙 주제가 자주 겹쳐서 말이지."

"참 바쁘네~그게 끝나면 이제 진짜 자유겠어."

"맞아."

그러다 미나가와의 표정이 굳어졌다.

"이래저래 괜찮지만은 않지?"

"응, 막막하기도 해."

"괜찮지 않으면 뭐 어때, 괜찮지 않은 나 자신도 좀 들여다봐줘."

슬슬 가게 안에도 손님들이 들어차고, 조금씩 주위가 소란스러워지기 시작했다.

"나는 올 여름에 서핑을 좀 배워볼까 해. 예전부터 배워보고 싶었거든."

"서핑? 재밌는 취미네."

미나가와는 의외라는 표정으로 말했다.

"가끔 우리 인생도 파도타기 같다고 생각해. 굴곡이 있잖아?"

"그치."

"그런데 가끔 파도가 좀 높네?"

"딱 지금이야."

"그럼 곧 다른 파도가 오겠네, 그걸 대비할 필요가 있어. 슬슬 한 번 쉬어 갈 때야. 너 자신을 좀 돌봐주라고. 이제 좀 걸어볼까?"

사토는 의자를 뒤로 끼익 끌면서 일어났다.

자신을 잘 돌보는 법

다른 누구보다 나를 가장 잘 알고 이해해줄 수 있는 사람은 자기 자신입니다. 당연하게도 영원한 건 없기에, 주변에 있는 소중한 사람들이 평생 나를 돌봐줄 수는 없습니다. 물론 타인에게 의지하지 말란 말은 아닙니다. 단지, 타인이 채워줄 수 없는 부분은 나 자신이 온전히 채울 수 있어야 한다는 말입니다. 그럼 나는 내가 어떻게 돌봐야 할까요? 스트레스는 돌연 찾아옵니다. 피할 수 없는 일상생활의 한 부분이죠. 이것을 잘 관리하지 못하면 건강상의 문제로도 커지기 쉽습니다. 반대로 내가 좋아하는 것들은 내가 직접 찾을 수도 있고, 행복은 직접 계획할 수가 있습니다. 여기서는 자신을 잘 돌볼 수 있는 가장 간단한 방법 3가지를 알려드리려 합니다.

1. 휴식 취하기

우선 복잡할 땐 쉬어갈 때도 필요합니다. 계속 자극되는 상처는 금방 낫기 어렵습니다. 쉬어가며 자연스레 회복되는 걸 기다리는 게 방법이기도 합니다.

2. 감정을 솔직하게 표현하기.

감정은 자연스러운 것이며 충분히 표현하는 것이야 말로 나 자신을 있는 그대로 이해하려는 자세입니다. 표현을 참는 것은 곧 스트레스로 이어지기 때문에 억누르는 걸 잠시 멈출 필요도 있습니다.

3. 나에게 선물하기.

가끔은 내가 그토록 갖고 싶었던 걸 사보는 것도 기분전환에 도움이 됩니다. 돈은 이럴 때 쓰려고 버는 거니까요. 자신에게 투자하는 것을 아깝게 생각하지 마세요. 성장하는데 도움을 주는 것만이 투자가 아닌, 나를 행복하게 해 주는데 사용하는 것 또한 투자입니다. 맛있는 음식을 먹는 것 또한 나에게 주는 달콤한 선물 중 하나이겠지요.

아마 당연하다고 생각할 수도 있는 방법들이지만, 생각보다 이것들을 잘 실천하지 못하는 경우가 더 많습니다. 잘 관리된 스트레스는 건강한 정신과 체력을 만드는데 큰 힘으로 작용합니다.

완벽한 사람은 없다

누구나 불완전합니다. 다들 각자의 콤플렉스를 갖고 있고, 트라우마 혹은 강박 등을 가지고 살아갑니다. 우리가 부러워하는 누군가는 또 다른 누군가를 부러워하고, 또 어떤 이는 나의 삶을 부러워합니다. 우리 또한 항상 다른 곳에서 다른 가면을 쓰듯, 남들의 가면을 보고 너무 휘둘리지 않는 법을 익혀야 합니다.

변화에 민감한 우리는

마음에도 항상 변화가 일어납니다.

사실 어떤 마음가짐이 생기든, 어떠한 동기가 생기든 우선은 그 계획을 실행에 옮겨야 합니다. 아주 작은 변화부터 말이죠. 이 책에서 반복적으로 등장하는 내용이나 주제가 있을 겁니다. 그 부분을 어떻게 이해하느냐는 여러분의 몫이죠. 어떤 부분은 공감이 될 수도 있지만 어떤 부분에서는 다른 의견을 가지고 있을 수도 있습니다. 하지만 저는 그것이 가장 중요하다고 생각해요. 사람은 누구나 자신만의 기준을 가지고 있습니다. 민감하게 생각하는 중요한 가치관이나 주제가 있을 거고요. 기준이 있는 사람이야 말로, 그것을 중심으로 하여, 글이나 말을 판단하고 자신의 것으로 만들 수 있습니다. 반대로 자신만의 기준이 없는 사람은 남의 말에 쉽게 휘둘립니다. 누군가가 "이게 맞는 것 같은데?"라고 한다면 그 말에 끌려가고, 또 다른 누군가가 "아니야, 너가 틀렸고 이게 맞아."라고 한다면 또 그쪽으로 끌려가게 됩니다. 본인만의 기준을 세우고 능동적인 태도를 가지면 세상을 이해하고 단단한 가치관을 세우는데 큰 도움을 줄 겁니다. 또한, 나 자신을 바라볼 때 역시 기준이 필요합니다. 내가 어떤 사람인지 잘 파악해야 하죠. 우리는 이것을 자기 객관화 라고 합니다. 여러분은 자신을 볼 때 어떠한 기준을 가지고 있나요? 이 안에서 충분히 내 마음을 나로 채웠다면, 이젠 한 발자국씩 걸어 나갈 때입니다.